D1646577

Ce livre est donné par

**Bibliothèques
Sans Frontières**
Libraries Without Borders

ROSE

ET LA MAISON DU MAGICIEN

HOLLY WEBB

ROSE
ET LA MAISON DU MAGICIEN

Traduit de l'anglais (Grande-Bretagne)
par Faustina Fiore

Flammarion

Titre original : *Rose* Book 1
Copyright © Holly Webb 2009
First published in 2009 by Orchards Books, a division
of Hachette Children's Books, London UK
© Flammarion pour la traduction française, 2011
87, quai Panhard et Levassor – 75647 Paris Cedex 13
ISBN : 978-2-0812-3328-7

Pour Jon

I

Du haut de sa fenêtre, Rose suivait des yeux avec intérêt deux fillettes qui passaient dans la rue en compagnie de leur bonne. Elles étaient vêtues de deux manteaux rose pâle, identiques. Rose était fascinée. Comment était-ce possible de porter un manteau rose sans le salir ? Probablement n'étaient-elles jamais autorisées à *voir* de la poussière. Les deux filles continuèrent à descendre la rue d'un pas mesuré, et Rose se dressa sur la pointe des pieds pour leur jeter un dernier regard avant qu'elles ne disparaissent. Le seau qui lui servait de marchepied oscilla et retomba sur le sol avec fracas. Rose sauta aussitôt par terre, alarmée, priant pour que personne ne l'ait entendue. Les étroites fenêtres du foyer pour jeunes filles sans famille de St Bridget étaient toutes haut placées afin d'éviter que les orphelines ne soient tentées de regarder au-dehors. Si l'une des surveillantes découvrait que Rose avait trouvé le moyen de contourner cet obstacle, on s'efforcerait de l'empêcher de mettre sa vertu en danger en contemplant le spectacle de la rue. Peut-être même irait-on jusqu'à bannir tous les seaux.

Rose rajusta son tablier marron et traversa prestement le couloir désert pour ranger le seau dans le cagibi. Avec précaution, elle le glissa sur une des étagères couvertes de récipients, de brosses, de chiffons. Si on la surprenait, elle n'aurait qu'à dire qu'elle l'avait astiqué.

Elle se dirigeait déjà vers la sortie quand un chuchotement lui parvint :

— Pst ! Rose !

Elle sursauta et se retourna. Une petite main grisâtre jaillit de derrière une grande baignoire en étain qui cachait l'étagère du bas. Cette petite main lui fit signe.

— Viens voir !

Rose souffla et son cœur reprit son rythme habituel. Tout allait bien : ce n'était que Maisie.

— Qu'est-ce que tu fabriques là-dessous ? demanda-t-elle en jetant un regard inquiet vers la porte. Tu vas te faire gronder. Sors de là !

— Regarde !

Sous l'étagère, les petits doigts tendaient quelque chose de brillant.

— Oh, Maisie ! soupira Rose. Je l'ai déjà vu, tu sais. Tu me l'as encore montré la semaine dernière.

Malgré tout, elle s'accroupit et se faufila à son tour sous les rayonnages près de son amie.

On était dimanche après-midi. À St Bridget, cela signifiait que de nombreuses orphelines s'étaient rendues dans le bureau de Miss Lockwood pour demander à voir leurs *reliques*. N'en possédant aucune, Rose avait jugé que c'était le bon moment pour emprunter un seau : même si elle avait rencontré d'autres filles, celles-ci auraient eu la tête trop farcie de fariboles pour lui prêter attention.

— Tu crois qu'il renfermait une boucle de cheveux ? demanda Maisie d'une voix mélancolique. Ou plutôt un portrait ?

Rose examina le médaillon en fer-blanc cabossé. Il avait l'air d'avoir été piétiné, voire enterré sous des ordures. C'était toutefois le bien le plus précieux de Maisie – son seul bien, en fait, car même les vêtements qu'elle avait sur le dos ne lui appartenaient pas.

— Oh, sûrement un portrait, affirma-t-elle en passant le bras autour des épaules pointues de son amie.

En réalité, elle n'en avait aucune idée, mais elle savait que Maisie songeait à ce médaillon tout au long de la semaine. Elle attendait avec une telle impatience cette heure hebdomadaire où elle était autorisée à le tenir dans ses mains que Rose ne pouvait pas la lui gâcher.

— Peut-être qu'il contenait un portrait de ma mère. Ou alors il lui appartenait, et c'était le portrait de mon père qui se trouvait à l'intérieur. Oui, ce doit être ça. Il devait être si beau !

— Mmm, murmura Rose avec tact.

Maisie n'était pas franchement laide, seulement comment aurait-elle pu être belle, avec la peau sur les os et les cheveux rasés à cause des poux ? En tout cas, on avait bien du mal à se représenter ses parents comme des beautés.

Toutes les amies de Rose passaient leurs dimanches dans un monde de rêve où elles étaient les filles de quelque duc qui viendrait un jour les chercher dans un carrosse pour leur redonner une place dans la haute société.

Contrairement aux autres, Rose ne rêvait pas. Certes, elle ne possédait nulle relique servant de point de départ à son imagination, mais ce n'était pas la raison principale. Bien d'autres filles en étaient aussi dépourvues qu'elle, et ça ne les arrêtait pas. Rose, elle, voulait juste sortir de St Bridget le plus vite possible. Non que ce fût un lieu horrible, loin de là. Leur institutrice leur lisait régulièrement des fables moralisatrices mettant en scène des enfants n'ayant pas eu la chance d'avoir été recueillis dans un orphelinat ; logeant dans la rue, ceux-ci finissaient toujours mal, sans qu'il fût jamais clairement expliqué pourquoi. À St Bridget, les orphelines étaient nourries – jamais suffisamment pour avoir l'estomac plein, mais assez pour survivre. Elles étaient habillées, et disposaient même chacune d'une tenue du dimanche pour se rendre à l'église ou pour la visite annuelle du photographe. Surtout, on leur apprenait le métier de femme de chambre, de manière à ce qu'elles pussent gagner leur vie le moment venu. Les seuls rêves de Rose allaient dans ce sens. Elle n'aspirait pas à être

une dame et à posséder une grande maison :
elle se contenterait de pouvoir la nettoyer,
et d'être payée pour ça. Peut-être aurait-elle
droit à un après-midi de libre par mois,
même si elle se demandait bien comment elle
l'emploierait.

De temps en temps, des anciennes pensionnaires de St Bridget revenaient donner
de leurs nouvelles. Elles parlaient en riant
des œillades que leur lançait le second valet
de pied et étaient vêtues d'élégantes tenues
n'ayant pas été portées par six personnes
avant elles, comme la robe noire du dimanche
dont avait hérité Rose. Elle savait qu'elle était
la septième, car les autres avaient cousu leur
prénom à l'intérieur. Deux d'entre elles
avaient même un nom de famille. Quel luxe !
Rose s'appelait Rose tout court, parce que la
rose jaune du jardinet de Miss Lockwood
avait fleuri le jour où le prêtre l'avait amenée
à St Bridget. Il l'avait trouvée au cimetière,
hurlante dans une corbeille à poissons posée
sur le monument aux morts. Si Rose avait
aimé rêvasser autant que les autres, elle se
serait peut-être représenté son père comme
un courageux soldat tué au cours d'une
charge héroïque, et imaginé que sa mère

mourante, incapable de s'occuper d'elle, l'avait déposée sur le monument aux morts en priant pour que quelqu'un ait pitié du malheureux enfant d'un soldat. Ayant les pieds sur terre, elle en avait juste conclu que sa famille devait avoir un quelconque rapport avec les poissons.

Rose détestait le poisson – même si, bien sûr, les orphelines mangeaient tout ce qui leur était donné, et même ce qui ne leur était pas donné, si l'occasion s'en présentait. Elle était tout à fait certaine qu'aucune comtesse ne viendrait un jour la réclamer. Elle avait dû naître une année où les poissons se vendaient mal, voilà tout. Cette idée ne la chagrinait pas, mais elle était d'autant plus décidée à gagner sa vie.

— Comment étaient-ils, à ton avis ?

Maisie avait pris un ton implorant. Rose avait le don de raconter de belles histoires. Ses récits illuminaient les sombres recoins où elle se cachait pour les inventer.

Rose soupira. Elle était fatiguée, mais Maisie la regardait avec tant d'espoir ! Elle s'installa le plus confortablement possible sous l'étagère et fourra ses pieds sous sa robe pour les tenir au chaud. Le cagibi, humide et froid, sentait le chiffon mouillé. Rose fixa pensivement la baignoire en étain qui luisait dans la pénombre.

— Tu avais deux ans quand tu es arrivée à St Bridget, n'est-ce pas ? Assez pour gambader partout, donc. Alors... C'était un dimanche, et tes parents t'avaient emmenée au parc pour que tu puisses jouer dans la fontaine avec ton bateau.

— Un bateau ! s'exclama Maisie, radieuse.

— Très beau, avec des voiles blanches et des ficelles pour les manœuvrer, comme dans un vrai.

Rose s'inspirait d'une illustration de *Fables morales pour les enfants*, un livre de la salle de classe. Dans l'un des contes, deux petits garçons se battaient pour occuper la fontaine avec leur bateau ; bien entendu, l'un d'eux finissait par s'y noyer. La plupart des livres de l'orphelinat se terminaient de cette manière. Rose s'amusait souvent à déterminer le moment exact où tout espoir était perdu pour les personnages. En général, c'était la première fois où ils se goinfraient de confiture en cachette.

— Tu portais ton plus beau manteau, rose pâle. Ça ne dérangeait pas ta mère que tu le mouilles.

La voix de Rose était devenue hésitante : elle n'avait pas pu résister à la tentation d'introduire ce manteau rose dans son récit, mais c'était tellement absurde !

Soudain, elle se rendit compte que Maisie avait le regard fixé sur le côté luisant de la baignoire.

— Oh oui, regarde ! Ses boutons sont en forme de fleurs ! Ce sont des roses, dis ?

Rose avala sa salive, les yeux braqués sur l'image qui s'était formée sur le métal.

— Je ne sais pas. Des marguerites, plutôt...

Était-ce elle qui avait fait ça ? Comment ? Certes, elle était douée pour inventer des histoires – la preuve, on lui en réclamait sans cesse – mais il n'était jamais arrivé que ses récits fissent apparaître des images. Des images qui *bougeaient*. Une toute petite Maisie, jolie et potelée, sautait de joie et applaudissait tandis qu'un monsieur très élégant soufflait pour faire avancer le bateau sur l'eau scintillante de la fontaine.

Un pantalon blanc ! s'offusqua intérieurement Rose, son côté pratique prenant le dessus. *Quelle famille déraisonnable !*

— Oh non, l'image s'efface ! gémit Maisie. Non, non, recommence, Rose ! Je veux voir ma mère !

— Chut, Maisie ! Nous n'avons pas le droit d'être là. On va nous entendre !

— Oh, Rose, c'était si joli ! *J'étais* si jolie ! Je veux revoir...

Une voix sévère les interrompit :

— Que faites-vous là-dedans ? Sortez immédiatement !

Rose sursauta et se cogna le crâne contre l'étagère. L'image disparut complètement, et Maisie éclata en sanglots.

— Sortez de là ! Qui est-ce ? Rose ? Et toi, Maisie ? Que faites-vous ici ?

Rose se redressa, luttant contre les larmes et contre un mal de tête aigu qui lui donnait la nausée. Elle s'était comportée comme une idiote. Voilà ce qui arrivait quand on se mettait à créer des images sur des baignoires ! Irritée, Miss Lockwood attrapa brutalement le médaillon :

— Maisie, tu sais bien que ceci ne doit pas sortir de mon bureau !

Maisie ne lâcha pas tout de suite l'autre bout de la chaînette, et celle-ci se brisa net. L'orpheline se mit à pleurer de plus belle.

Miss Lockwood était visiblement horrifiée. Elle n'avait pas eu l'intention d'abîmer le bijou : elle savait à quel point Maisie y tenait. Mais il lui était désormais impossible de s'arrêter :

— Petite bécasse ! Voilà que tu l'as cassé ! C'est bien fait pour toi.

Toute rouge, elle glissa le médaillon dans la poche accrochée à sa ceinture et ressortit.

— Allez tout de suite au lit. Vous vous passerez de dîner, toutes les deux ! décréta-t-elle avant de disparaître.

— On ne va pas perdre grand-chose ! marmonna Rose.

Elle embrassa Maisie qui hoquetait, secouée de sanglots.

— Elle... a... cassé... ma... chaîne !

— C'est vrai. Elle l'a cassée. Mais je suis sûre qu'on peut la réparer. On regardera ça dimanche prochain. Je t'aiderai, Maisie. Promis. Et tu sais, je crois qu'elle regrette ce qu'elle a fait. Elle aurait pu nous ordonner de rester debout dans la classe toute la soirée avec des livres sur la tête, comme Florence, la semaine dernière. Nous priver de dîner n'est pas une si grosse punition. Ce n'est jamais que du lait et du pain.

— Peut-être pas, renifla Maisie, décidée à voir la vie en noir. Il y aura peut-être du gâteau.

Rose la tira par la main en direction du dortoir.

— Maisie, c'est du pain et du lait tous les soirs ! La dernière fois que nous avons eu du gâteau, c'était lors du couronnement, il y a trois ans !

Rose soupira. Elle en voulait un peu à Maisie de leur avoir attiré des ennuis. Mais elle se dit qu'après tout, elle avait elle-même pris des risques en regardant par la fenêtre. Et puis Maisie était si petite, si fragile, que Rose avait pitié d'elle. Elles entreprirent d'enfiler leurs chemises de nuit.

— Veux-tu que je te raconte la suite de l'histoire ? demanda Rose, résignée.

Les yeux de Maisie s'illuminèrent.

— Il y aura de nouveau des images ?

— Je ne sais pas comment j'ai fait, tout à l'heure. C'est la première fois que ça m'arrive. Et ça pourrait nous poser des problèmes. Je ne suis pas sûre qu'on ait le droit de faire ça.

— Ce n'est pas dans le règlement, pourtant. J'en suis certaine !

Miss Lockwood leur lisait le règlement tous les dimanches avant la messe ; elles l'avaient encore entendu le matin même. Rose dut admettre que Maisie avait raison : à aucun moment le texte n'évoquait des images sur des baignoires. C'était étonnant, d'ailleurs. Il fallait croire que ce n'était pas fréquent, car le règlement parlait de *tout*. Même de la longueur exacte que devaient avoir les ongles des orphelines.

— Pourtant, j'ai l'impression que ça doit être interdit... (*Voilà pourquoi c'est si amusant !* songea-t-elle) Bon, d'accord. Mais je crois qu'il faut quelque chose de brillant pour que ça marche.

Elle regarda autour d'elle. Long et étroit, le dortoir était situé sous les combles de la vieille bâtisse. Si tout y était très propre, rien ne brillait. Il n'y avait presque pas assez de place pour circuler entre les petits lits aux couvertures grises, et encore moins pour des meubles polis.

— Mes bottines sont cirées ! suggéra Maisie.

Rose s'apprêtait à dire que c'était impossible quand elle se rendit compte que Maisie avait raison. Toutes les chaussures des filles étaient fabriquées et réparées par les garçons de l'orphelinat de St Bartholomew, de l'autre côté du mur. Il y avait là une cordonnerie, de la même façon qu'il y avait une blanchisserie à St Bridget, ce qui permettait d'initier les enfants à un métier. Les bottines de Maisie venaient d'être réparées, et bien qu'elles eussent été rapiécées au point qu'elles n'avaient plus rien à voir avec ce qu'elles avaient été à l'origine, elles étaient effectivement noires et luisantes. Et puisque Rose pouvait faire apparaître des images sur une baignoire, pourquoi pas sur une bottine ?

Les deux filles se serrèrent l'une contre l'autre sous les couvertures de Rose, yeux fixés sur le cuir.

— Même si ça fonctionne, les images seront bien plus petites, avertit Rose.

— Pas grave. Je veux voir ce qui s'est passé ensuite.

— Ce n'est pas vraiment ce qui s'est passé. C'est juste une histoire que j'invente. Tu le sais, n'est-ce pas ?

— Oui, oui ! fit Maisie sans l'écouter. Allez, vas-y !

Longtemps après que Maisie se fut endormie en pleurant cette nuit-là, le cœur brisé par l'image tremblotante d'elle-même, toute petite, sillonnant le parc à la recherche de sa mère, et longtemps après le retour des autres orphelines, Rose n'arrivait toujours pas à trouver le sommeil.

Avait-elle réellement tout inventé ? Cela semblait si réel !

Et si j'étais voyante ? s'inquiéta Rose. Dire qu'elle ne croyait même pas à la voyance !

Mais non, c'était forcément une invention – le manteau rose, par exemple, était inspiré de ceux qu'elle avait aperçus par la fenêtre. Dans ce cas, pourquoi Maisie avait-elle été aussi bouleversée ? Pourquoi y avait-elle cru davantage qu'aux autres histoires de Rose ?

Les images, se dit Rose. *C'est à cause des images que ça avait l'air si vrai. Même moi, j'avais envie d'y croire. Je ne ferai plus jamais ça.*

À ses côtés, la respiration de Maisie était encore irrégulière, et ses épaules tremblaient, comme si ses rêves étaient hantés par cette histoire, par cette enfant perdue qu'elle s'imaginait avoir été, cette fillette qui courait vers la fontaine pour prendre son bateau et qui, après s'être retournée, ne voyait plus que des inconnus.

Rose ne savait pas comment les images étaient nées. C'était la première fois qu'elle faisait ça. Elle ne s'y était pourtant pas prise différemment que d'habitude. Toutefois il ne fallait plus jamais, jamais que ça arrive. Cela avait un impact trop fort. Rose était certaine d'avoir tout inventé – *presque* certaine – mais après avoir vu la scène se dérouler sous ses yeux, Maisie, elle, était à présent convaincue que les choses s'étaient réellement passées ainsi. Elles étaient désormais gravées dans sa mémoire.

Pourtant, pensa Rose en fermant enfin les paupières, *si c'était vrai, le bateau serait dans le bureau de Miss Lockwood avec les autres reliques...* Ce n'était donc pas vrai. C'était juste une histoire. Mais, pour la première fois, ses propres histoires l'effrayaient.

2

Quand Rose s'éveilla, elle avait moins froid que d'habitude – le dortoir était toujours glacial, sauf pendant une quinzaine de jours en été où il se transformait en véritable fournaise. Elle ne comprit pas tout de suite pourquoi, jusqu'à ce que Maisie remue à nouveau et qu'elle prenne conscience que c'était sa présence qui l'avait sortie de son sommeil.

Les bottines de Maisie étaient sous son lit, là où Rose les avait soigneusement rangées la veille. Elle les considéra avec méfiance, inquiète à l'idée de voir les images réapparaître. *Je vais peut-être devoir éviter tout ce qui brille*, se dit-elle. *Moi qui veux devenir femme de chambre, je suis mal partie...*

— Tu me raconteras encore tout ça, dis ?

Maisie s'était redressée sur son coude et la regardait. Rose s'assit brusquement, faisant glisser les couvertures.

— Non ! Bien sûr que non !

Frissonnante, elle se hâta de se recouvrir pour conserver cette chaleur durement acquise.

— Pourquoi ? la supplia Maisie. Tu fais ça si bien ! Personne d'autre ne sait créer des images, Rose. C'est tellement beau !

— Mais ça t'a rendue triste, tu te rappelles ? Tu as pleuré pendant des heures et des heures !

Maisie haussa les épaules.

— Ce n'est pas pour ça que je n'ai pas aimé, expliqua-t-elle en soupirant. J'imagine que nous n'avons pas le temps avant que les autres se réveillent. C'était merveilleux. J'en ai même rêvé !

Le lundi était jour de lessive à St Bridget, et Rose passa la matinée à faire l'ouvrage de Maisie en plus du sien. Quand elle vit que son amie avait réussi à coincer sa robe dans l'essoreuse, elle l'envoya trier les chaussettes derrière la lessiveuse pour lui éviter de se blesser. Toutes les filles du foyer allaient porter des chaussettes dépareillées pendant les deux semaines à venir, mais Rose ne serait plus là pour s'en soucier.

Au milieu de la matinée, un chuchotement agité parcourut la blanchisserie. Quelqu'un s'entretenait avec Miss Lockwood sur le seuil de la porte. Une centaine de fillettes se dressèrent sur la pointe des pieds tout en feignant de continuer à travailler. Les visiteurs étaient rares à St Bridget, et leur venue représentait toujours un événement. L'une des plus jeunes, Lily, une enfant de quatre ans, était si excitée qu'elle tomba dans un panier à linge ; on dut la repêcher et la cacher sous une pile de draps jusqu'à ce que son fou rire se calme.

— Vous croyez que c'est une inspectrice ? murmura quelqu'un près de Rose.

— Non, on nous aurait prévenues. On nous fait toujours porter des tabliers propres quand il y a une inspection, remarqua une fille plus âgée.

— C'est peut-être une bienfaitrice ! s'écria Maisie derrière sa lessiveuse.

C'était une idée enivrante : la dernière bienfaitrice avait offert aux orphelines trois bouquets de roses en soie et un cheval à bascule. Le cheval, prénommé Albert en l'honneur du roi, résidait dans la salle de classe, et même si seules les plus jeunes avaient le droit d'y grimper, toutes en étaient très fières. Quant aux roses, elles avaient mystérieusement disparu.

— Sa robe noire est très jolie. Et son petit chapeau avec des rubans de velours aussi.

— Si elle est en noir, ce n'est pas une bienfaitrice, c'est une dame patronnesse. Les dames patronnesses sont toujours en noir. Mais d'habitude elles ne portent pas un si beau chapeau...

Le chuchotement s'éteignit : Miss Lockwood et la visiteuse s'avançaient lentement dans la blanchisserie. Toutes les pensionnaires s'efforcèrent de paraître très occupées tout en tendant l'oreille pour saisir ce qu'elles disaient.

— En règle générale, nous préférons les garder jusqu'à ce qu'elles soient un peu plus âgées... expliquait Miss Lockwood.

— Je comprends, mais j'aime former mes gens moi-même. Il me faudrait une fille de dix ou onze ans, pleine de bon sens.

Les yeux perçants de la dame au chapeau noir semblaient tout remarquer. Elle vit

Maisie pointer le nez derrière la lessiveuse et lui sourit. Maisie se recula, écarlate.

Le murmure reprit, se faisant bien plus audible, chacune commentant cette nouvelle palpitante. Elle venait chercher quelqu'un ! Rose regretta de ne pas connaître son âge exact. Elle était presque sûre d'avoir environ dix ans. Et elle était certaine de ne pas manquer de bon sens. Elle fit de son mieux pour paraître raisonnable, cependant elle eut l'horrible conviction qu'elle devait plutôt avoir l'air constipé.

Miss Lockwood dévisageait pensivement ses pensionnaires.

— Lucy. Ruth. Et toi, Elisa...

Rose soupira. Elle ne devait pas être assez mûre. Si seulement Miss Lockwood ne l'avait pas surprise dans le cagibi, la veille ! L'espace d'un instant, elle détesta Maisie, mais sa colère retomba et elle se remit à pousser un énième linge dégoulinant dans l'essoreuse.

— Oh, et puis Rose ! Venez toutes les quatre dans mon bureau, afin que Miss Bridges puisse vous examiner.

Rose se figea, bouche bée. Maisie et Ellen durent la pousser pour qu'elle emboîte le pas aux autres.

Il ne lui vint pas à l'esprit qu'il était étrange d'être ainsi « examinée », comme un article en vente. Elle regretta simplement que sa robe marron ne lui aille pas mieux. Elle était trop serrée sous les bras : la dame risquait de croire qu'elle mangeait beaucoup. Rose se creusa les joues et s'appliqua à ne pas faire marcher son imagination : le bureau de Miss Lockwood était plein d'objets brillants, et Rose ne pouvait s'empêcher de s'y voir, vêtue d'une élégante robe imprimée et d'une petite coiffe blanche.

Miss Bridges allait et venait devant les quatre orphelines. Elle demanda son âge à Eliza, et hocha la tête quand celle-ci marmonna : « Douze ans. » Rose ne put s'empêcher de trouver que sa compagne arborait un air buté. *Lucy n'a pas envie d'être femme de chambre ; quant à Ruth, elle ne fait que ricaner. Peut-être qu'elle va me choisir...*

Miss Bridges s'arrêta devant Rose.

— As-tu réellement dix ans ? Tu es si petite !

Rose avala sa salive et répondit avec hésitation :

— Je crois que oui, Miss. Ça fait neuf ans que je suis ici, et on m'a dit que je devais avoir environ un an quand je suis arrivée. Je peux travailler, ajouta-t-elle. Je suis forte, vous savez.

Sans s'en rendre compte, elle s'était dressée sur la pointe des pieds.

— Tu n'as pas envie de rester à l'orphelinat ? demanda Miss Bridges avec curiosité.

Elle sourit à Miss Lockwood. Rose lui jeta à son tour un regard nerveux, puis s'adressa aux deux femmes à la fois :

— Ce n'est pas que je n'aime pas être ici, mais je voudrais gagner ma vie.

— C'est tout à ton honneur, Rose, la rassura Miss Lockwood. Rose travaille bien, Miss Bridges. Elle a peut-être parfois des accès de frivolité, mais c'est une bonne fille.

Les oreilles de Rose devinrent cramoisies. *Vraiment ?* Personne ne lui avait jamais fait un tel compliment.

— Puis-je l'emmener tout de suite ? demanda Miss Bridges, comme si Rose était un nouveau chapeau.

— Tout de suite ? fit Miss Lockwood, un peu choquée. Eh bien, heu, oui, pourquoi pas ? Habituellement, nous donnons à nos pensionnaires une robe correcte et une bible quand elles nous quittent, mais je crains de ne pas avoir le nécessaire...

— Ne vous inquiétez pas, nous lui fournirons tout ce dont elle a besoin. Nous pouvons même vous renvoyer la, hum... la *tenue* qu'elle porte actuellement, si vous voulez.

— Eh bien, oui... Ma foi... Ce serait fort aimable à vous... Tout de suite, vraiment ?

— Tout de suite.

Tout de suite ! Rose serra les poings dans les poches de son tablier pour se retenir de sauter de joie. Bien sûr, les autres lui manqueraient – en particulier Maisie – mais voilà qu'arrivait ce dont elle avait toujours rêvé !

Lucy lui serra furtivement la main.

— Bonne chance !

Rose lui sourit, avec toutefois un air déterminé. Elle n'avait pas l'intention de s'en remettre à la seule chance.

Miss Bridges marchait vite, et Rose devait presque courir pour la suivre. Elle avait du mal à ne pas se laisser distancer : à chaque pas, elle découvrait quelque chose de nouveau. Les orphelines ne sortaient presque jamais de St Bridget, sauf le dimanche pour aller à l'église, en un long serpent de cent fillettes marchant au pas sur le pavé. Or, en sortant du foyer, Miss Bridges avait tourné à droite. Rose était restée sur la dernière marche de l'escalier, les yeux grands ouverts.

Remarquant que Rose ne la suivait pas, Miss Bridges fit volte-face :

— Tout va bien, mon enfant ? Tu as l'air inquiète. As-tu changé d'avis ? Je ne veux pas t'emmener si tu n'en as pas envie !

Rose secoua vigoureusement la tête et bondit pour la rattraper.

— Si si, je veux venir, je vous assure ! Excusez-moi, Miss. C'est juste que nous n'allons jamais de ce côté.

Miss Bridges leva les sourcils.

— Qu'est-ce qui ne va pas de ce côté ?

— Rien, mais l'église est de l'autre côté, vous savez. Nous ne sortons jamais que pour aller à la messe.

Miss Bridges regarda plus attentivement Rose, qui trottinait à ses côtés dans sa robe marron et son châle rêche. Son bonnet, beaucoup trop petit, menaçait de tomber à chaque pas.

— Je n'y avais pas pensé. Tu n'es jamais allée ailleurs ?

— Pas que je me souvienne, Miss.

L'orphelinat n'était pas dans les beaux quartiers de la ville. Rares étaient les magasins qui l'entouraient, et, bien entendu, ils étaient toujours fermés le dimanche. Mais à présent, Miss Bridges conduisait Rose vers des rues plus chics, et, en ce lundi matin, celles-ci grouillaient de gens qui faisaient des emplettes, exécutaient des commissions, ou se promenaient. Rose les trouvait tous fascinants, en particulier les enfants de son âge.

— C'est ici, sur cette petite place, annonça Miss Bridges en tournant à l'angle d'une rue. La demeure de Mr Fountain est de l'autre côté, dans le coin.

Rose admira les grandes maisons de pierre aux fenêtres miroitantes sous le soleil. Au centre de la place se trouvait un jardin orné de statues ; trois garçons y jouaient avec un cheval de bois. Par contraste avec les rues pleines d'activité qu'elles venaient de traverser, le lieu dégageait une atmosphère paisible. Rose n'avait jamais approché un arbre d'aussi près.

— C'est magnifique. La demeure de Mr Fountain ? Ce n'est pas chez vous, Miss ?

Miss Bridges se mit à rire.

— Je ne suis que la gouvernante, Rose. Nous sommes désormais toutes les deux au service de Mr Aloysius Fountain, le célèbre alchimiste.

3

Miss Bridges conduisit Rose vers l'entrée de service, qui descendait directement dans la cuisine.

— Nous n'utilisons jamais l'entrée principale, tu comprends. Elle est réservée à la famille.

Rose hocha la tête. En haut d'une volée de marches en marbre se dressait la porte principale, énorme, peinte en vert foncé et munie d'un heurtoir doré en forme de sirène. Tout cela était bien trop imposant pour elle.

La cuisine était pleine de gens assis autour d'une table sur laquelle était posée une grosse théière. Une femme bien en chair trônant à l'une des extrémités leur adressa un signe de tête majestueux.

— Une tasse de thé, Miss Bridges ?

Miss Bridges lui rendit gracieusement son salut.

— Avec plaisir, Mrs Jones. J'ai grand besoin de me désaltérer. Je vous présente Rose, notre nouvelle seconde femme de chambre, venue de l'orphelinat. Rose, Mrs Jones est notre cuisinière ; nous sommes ici dans son domaine.

Rose fixait le bout de ses bottines, consciente d'être le point de mire de tous les regards. Elle n'osait pas demander à Miss Bridges, dont l'attitude était encore plus distinguée maintenant qu'elle était entourée de tout ce monde, qui étaient ces gens.

Une fille aux cheveux noirs, un peu plus âgée que Rose et vêtue d'un élégant tablier, souffla avec dédain :

— Qu'elle est petite ! Ça m'étonnerait qu'elle soit bonne à grand-chose.

— Tais-toi, Susan ! la gronda la cuisinière. Même une gamine faisant la moitié de sa taille serait plus efficace que toi. Et puisqu'elle vient de St Bridget, elle doit connaître son affaire. Retourne donc polir l'argenterie !

Lui adressant un regard sombre, Susan se leva avec humeur et se dirigea vers l'arrière-cuisine. Miss Bridges désigna une chaise à Rose.

— Mrs Jones, auriez-vous l'obligeance de lui servir une tasse de thé ? Nous tâcherons ensuite de lui constituer une garde-robe. Notre seconde femme de chambre précédente a dû rentrer chez elle pour veiller sur sa mère, ajouta-t-elle en se tournant vers Rose. On pourrait caser deux filles comme toi dans une de ses robes, mais nous allons trouver une solution, j'en suis sûre.

Rose sirota son thé – servi dans une tasse en porcelaine, et avec une soucoupe ! – en observant timidement le reste de la tablée. Elle comprit rapidement qu'ici aussi le lundi était jour de lessive, et que Mrs Trump, la femme assise à l'autre bout de la table, couverte d'au moins six châles et d'un chapeau de paille, était la lavandière. Il y avait aussi une fille d'office, Sarah, et William, un garçon d'environ quatorze ans, aux cheveux blond cendré, qui était homme à tout faire. Surnommé Bill, il ressemblait un peu à un rat, mais à un rat sympathique.

— Est-ce qu'on t'a déjà expliqué ce que faisait le maître ? lança-t-il à Rose.

Celle-ci fit un signe négatif. Miss Bridges lui avait bien dit quelque chose en arrivant, cependant Rose n'avait pas compris et n'avait pas osé l'interroger. Elle avait cru entendre le mot « chimiste » ; autrement dit, à sa connaissance, quelqu'un se livrant à des expériences sur des produits. Mais il était douteux qu'un simple savant puisse se permettre de vivre dans une maison pareille. Elle avait sûrement dû se tromper.

— Est-il médecin ?

Les médecins étaient riches, elle le savait. Bill gloussa et but bruyamment son thé, ce qui lui valut un froncement de sourcils de la part de Miss Bridges.

— Non. Il est *alchimiste*. Tu sais ce que c'est ?

Rose secoua la tête. Miss Bridges avait utilisé le même mot. Peut-être s'agissait-il d'un très bon chimiste, mais Bill semblait avoir envie de parler, aussi ne hasarda-t-elle aucune hypothèse, se contentant de le regarder d'un air interrogateur.

— C'est un magicien, déclara-t-il d'un ton solennel.

Rose ouvrit de grands yeux. Se moquait-il d'elle ? Il n'avait pourtant pas l'air de plaisanter. Remarquant son expression dubitative, il hocha la tête :

— Je te jure que c'est vrai. Un alchimiste, c'est un magicien capable de fabriquer de l'or.

Désormais convaincue qu'il se moquait d'elle, Rose se pencha sur sa tasse et décida de l'ignorer.

— Bill a presque raison, Rose, confirma Miss Bridges en levant l'anse ouvragée de sa tasse ornée de fleurs pour boire une gorgée de thé. Mr Fountain ne peut pas créer de l'or à partir de rien, comme Bill semble le croire ; mais il peut transformer en or des métaux communs. Du plomb, par exemple. C'est le premier conseiller magicien du Trésor et des Finances royales. Un homme très important.

— Il fait de l'or ?

Rose se demandait encore si elle n'était pas l'objet d'une farce de mauvais goût. Elle avait déjà entendu parler des magiciens, bien sûr, mais n'en avait jamais vu. Ç'aurait été comme voir une princesse. Peut-être même plus exceptionnel : les magiciens étaient rares, alors que le roi avait cinq filles et bon nombre de parentes qui sortaient souvent et se montraient volontiers à la foule. Elle avait par conséquent plus de chance de rencontrer un jour une princesse. Et voilà qu'on lui annonçait qu'elle allait habiter dans la maison d'un magicien ! Avec un frisson, Rose inspecta la cuisine, craignant d'y découvrir un crâne, un crocodile empaillé, ou une casserole pleine de têtards mijotant sur le poêle. L'image qu'elle se faisait des magiciens venait tout droit des histoires d'horreur que l'on se chuchotait dans le dortoir après l'extinction des feux.

Rose n'avait jamais vraiment songé à la magie. Elle savait que ça existait, mais, à St Bridget, il en était rarement question. La magie était un luxe dont un orphelinat n'avait pas besoin – déjà que les légumes autres que des choux y étaient proscrits. Il ne s'était jamais rien produit de surnaturel au foyer, même si certaines filles soutenaient que Miss Lockwood conservait un « œil magique » dans son bureau. Sans cela, comment aurait-elle réussi à apparaître systématiquement là où on ne voulait pas d'elle ? Rose était cependant presque certaine que ce n'était qu'une légende. Un œil magique aurait coûté une somme exorbitante, que la directrice d'un orphelinat ne possédait certainement pas. Chacun savait que la magie n'était utilisée que par les riches. Rose s'était demandé si elle aurait l'occasion d'en être témoin quand elle commencerait à travailler, mais elle savait que même les maisons les plus aristocratiques ne possédaient le plus souvent qu'un ou deux sortilèges – comme ces services d'assiettes incassables, offerts en cadeau de mariage...

Rose eut beau fouiller tous les recoins des yeux, aucun crocodile empaillé ne s'offrit à sa vue. Tout avait l'air normal. D'un autre côté, Rose n'avait jamais vu d'autre cuisine que celle de St Bridget où les orphelines devaient travailler tour à tour. La vaste pièce à l'odeur de graillon et de chou bouilli était toujours pleine de fillettes occupées à émincer... du chou, justement. Rose trouvait bien agréable d'être dans une cuisine d'où émanaient une senteur de thé et des effluves sucrés et appétissants provenant du grand four. Des pots de géraniums ornaient le rebord de la fenêtre, et quantité de moules en cuivre de formes multiples étaient accrochés au mur. Il y avait aussi toute une collection d'herbes pendues au plafond, mais elles ressemblaient davantage à des herbes aromatiques qu'à des ingrédients maléfiques.

Mrs Jones sourit, approbatrice, en voyant son regard suspicieux :

— Pas de magie dans ma cuisine, déclara-t-elle avec fermeté. Trop imprévisible, trop désagréable. Ça donne un mauvais goût à tout.

Il était visible que Mrs Jones parlait sérieusement. Il ne s'agissait donc pas d'une mystification : Rose était vraiment entrée dans une maison où régnait la magie... sauf dans la cuisine, où celle-ci n'était pas admise.

À ce moment-là, l'une des sonnettes accrochées au mur se mit à tinter.

— Le bureau de Mr Fountain, fit Miss Bridges, qui se tourna vers Rose. Hum... Non, je crois que nous allons attendre que tu sois habillée correctement, Rose, ou il va te prendre pour une va-nu-pieds. Susan ! Laisse l'argenterie et réponds à la sonnerie. Je pense que le maître veut son thé.

Rose baissa les yeux et vit du coin de l'œil la robe noire de Susan passer près d'elle. Une va-nu-pieds ? Elle était tellement habituée à voir les autres orphelines vêtues de robes rapiécées et trop petites comme la sienne qu'elle n'avait jamais pensé qu'on puisse mal la juger à cause de sa tenue. Elle avala péniblement sa salive. Miss Bridges avait jusqu'à présent été si gentille – probablement plus que la plupart des gouvernantes – que le manque de tact dont elle venait de faire preuve l'avait blessée. Ah, si seulement on lui avait donné le temps d'enfiler sa robe du dimanche ! Elle était vieille, certes, mais parfaitement propre, et presque à sa taille. Au moins, elle n'aurait pas eu l'air d'une telle pauvresse.

Une main calleuse souleva avec douceur son menton. Mrs Jones, penchée sur la table, la dévisagea, puis lui adressa un sourire encourageant :

— Avec une jolie robe, des cheveux bien peignés et une coiffe, elle aura l'air tout à fait convenable. Ne pleure pas, petite. Miss Bridges voulait juste dire que tu n'es pas à ton avantage. Mr Fountain peut se montrer pointilleux.

— Il passe une demi-heure à arranger ses cheveux tous les matins ! ricana Bill.

Miss Bridges lui lança un regard courroucé :

— Comme tu le sais, William Sands, Mr Fountain est un membre de la cour de Sa Majesté. Il peut difficilement apparaître

devant le roi et la reine sans s'être apprêté !
Et toi, t'es-tu peigné, ce matin ? Si oui, sache
que ça ne se voit pas. Finis ton thé, et va donner un coup de main du côté de l'essoreuse !

Rose, déjà rassérénée, examina furtivement les cheveux courts de Bill. Elle n'était
pas certaine qu'il puisse faire quoi que ce soit
de cette touffe d'épis couleur sable. On aurait
dit un paillasson élimé. Cependant, elle se
tut. À St Bridget, savoir rester à sa place était
considéré comme très important : Miss
Lockwood leur avait tenu de longs discours à
ce sujet. Rose était à peu près certaine que
chez Mr Fountain, tout comme à l'orphelinat,
sa place était tout en bas de l'échelle. Par
ailleurs, elle avait grand besoin de ne pas
s'attirer l'inimitié de Bill, surtout après avoir
agacé l'autre femme de chambre, Susan, par
sa simple présence.

Le garçon lui sourit et avala le reste de son
thé. La réprimande ne semblait pas l'avoir
offensé le moins du monde.

— Bill est arrivé il y a deux ans de St Bartholomew, expliqua Mrs Jones tandis qu'il
partait vers l'arrière-cuisine. C'est pour ça que
nous avons pensé à chercher une femme de
chambre à St Bridget.

— C'est un orphelin, lui aussi ? s'étonna Rose.

Il avait l'air si sûr de lui, si gai !

— Oui, comme toi. Il travaille bien, et je suis sûre que tu en feras autant.

Quelques heures plus tard, Rose s'employait à prouver à quel point elle pouvait travailler dur. Elle était attablée avec Bill dans l'arrière-cuisine, une pièce où l'on se livrait à toutes sortes de besognes. Ensemble, ils polissaient l'argenterie, c'est-à-dire les fourchettes, couteaux, etc., mais aussi des assiettes, des saladiers, et d'autres pièces de vaisselle sur lesquelles étaient gravées des inscriptions en lettres calligraphiées telles que « À Aloysius Fountain, en témoignage de l'admiration et de la reconnaissance de l'Honorable Corporation des Attrapeurs de Rats » (dédicace entourée de petits rats courant en rond). Rose se demanda ce que Mr Fountain avait bien pu faire pour mériter cette gratitude.

— Est-ce qu'il faut faire ça tous les jours ? s'inquiéta-t-elle.

— Bien sûr que non, répondit Bill. Juste une fois par semaine.

Il vérifia par-dessus son épaule que personne ne l'écoutait depuis la cuisine, puis chuchota :

— Parfois, je ne fais même pas tout. Personne ne s'en aperçoit. On n'utilise tout ça que quand il y a une fête.

— Mr Fountain donne des fêtes ?

Rose était surprise : on lui avait tant répété que son nouveau maître était un homme sérieux, intelligent et important, qu'elle avait du mal à l'imaginer en train de s'amuser.

— Oui, pour des courtisans, parfois pour d'autres magiciens.

— C'est vrai qu'il doit s'ennuyer, tout seul dans cette grande maison...

Bill éclata de rire.

— Qui t'a dit qu'il vivait seul ? Il y a Miss Isabella, et Mr Freddy.

— Oh, il a des enfants ? Je ne savais pas.

Elle avait pensé qu'il était trop vieux pour ça. En fait, elle s'était toujours représenté tous les magiciens comme des vieillards. C'était ridicule.

Bill secoua la tête.

— Une seule fille, Miss Isabella. Mrs Fountain est morte peu après sa naissance. Mr Freddy est son apprenti.

Sa voix avait pris un ton méprisant ; il était aisé de voir qu'il n'avait guère d'admiration pour lui.

— Freddy ?

— Frederick Paxton. Un garçon d'à peu près ton âge, je crois, sans une miette de bon sens.

— Mais puisqu'il est apprenti magicien... objecta Rose en astiquant un plat sur lequel étaient gravés deux dragons en train de se battre. (Des dragons ! Les dragons existaient-ils, eux aussi ? L'orphelinat ne regorgeait pas de romans d'aventures, mais il y en avait un ou deux qui avaient réussi à se glisser parmi les autres livres grâce à leur couverture sombre et ennuyeuse. Les dragons apparaissaient toujours dans le même genre d'histoire que les magiciens. Rose décida de garder cette question pour plus tard ; Bill s'était assez moqué d'elle comme ça.)

— Je ne veux pas dire qu'il est bête, répondit Bill en agitant férocement son chiffon. Il sait plein de choses, et tout, mais c'est le genre à tomber dans les escaliers parce qu'il a oublié qu'ils étaient là.

Rose lui lança un regard incrédule. Personne ne pouvait être aussi idiot. Bill haussa les épaules.

— La semaine dernière, c'est moi qui l'ai ramassé, et qui ai dû balayer après. Il avait heurté un vase en tombant. Miss Bridges a failli avoir une crise cardiaque. C'était un Ming, ou un truc du genre.

— Il s'est fait mal ? demanda Rose, inquiète.

Elle ne connaissait pas ce Freddy, mais l'idée qu'il ait roulé au bas d'un escalier lui paraissait épouvantable.

— Non, fit Bill, un peu déçu. Il était ravi, au contraire. Il m'a expliqué qu'il avait presque flotté au-dessus des six dernières marches, et qu'il ne savait pas qu'il en était capable. Franchement, il aurait aussi bien pu faire flotter ce fichu vase, pendant qu'il y était.

— Bill, j'espère que tu n'es pas en train de répandre tes ragots ? intervint Miss Bridges, survenant les bras chargés de robes. Rose, viens voir si tu peux trouver quelque chose qui te va. Je vais te montrer ta chambre.

Elle sortit de la pièce alors que Rose était encore en train d'essayer de se dépetrer de l'énorme tablier qu'on lui avait prêté. La fillette dut lui courir après, sous l'œil amusé de Bill.

— Toujours l'escalier de service jusqu'au premier étage, Rose, jamais l'escalier principal, lui lança Miss Bridges quand Rose l'eut péniblement rattrapée.

— Oui, Miss.

Elle commençait à envisager de dresser la liste de tout ce qu'elle ne devait pas faire.

Sa chambre était tout en haut de la maison, au sixième étage. Ou peut-être était-ce le cinquième, ou le septième. Pour une raison qui lui échappait, elle avait eu du mal à compter les niveaux. Et que de portes ! Très éclairée par les dizaines de fenêtres qui laissaient entrer le soleil, impeccablement tenue, la maison n'était pas du tout sinistre, à la grande satisfaction de Rose. Pas la moindre toile d'araignée en vue. Mais elle avait tout de même quelque chose de mystérieux, de vaguement dérangeant. Rose essaya de se convaincre que cette impression venait du fait qu'elle n'avait jamais mis les pieds dans une si belle demeure, tout en craignant qu'en fait les murs des étages nobles ne soient littéralement imbibés de magie.

Sa petite chambre mansardée, elle, lui parut parfaitement normale. Ce sentiment étrange, déstabilisant, cette impression d'avoir sans cesse le soleil dans les yeux disparaissait dès qu'on sortait de la zone où le sol était couvert de tapis. L'escalier simple et nu conduisant aux chambres des servantes était un peu poussiéreux, et les marches de bois craquaient sous les pieds. Quand elle atteignit la petite porte tout au fond du dernier étage, Rose sentit son cœur se calmer.

Miss Bridges, qui avait été contrainte de ralentir après le quatrième palier, ouvrit la porte et s'assit sur le petit lit blanc avec les robes, un peu essoufflée.

— C'est ici, Rose.

— Je vais dormir toute seule ? s'exclama Rose. Dans une chambre juste pour moi ?

Miss Bridges sourit.

— Oui. Les chambres sont trop petites pour être partagées. Susan couche à côté ; si tu as besoin de quelque chose, tu peux t'adresser à elle.

Rose acquiesça, tout en se promettant de ne pas même *respirer* près de Susan si elle pouvait faire autrement. Elle était habituée à garder ses distances avec les grandes, à l'orphelinat. Comme celles-ci seraient jalouses si elles la voyaient à présent ! Une chambre rien que pour elle, et quatre robes, dont une seule de seconde main, qu'elle porterait en attendant que les trois autres soient terminées ! Savoir qu'elle devrait les coudre en grande partie elle-même n'entamait pas sa joie.

Miss Bridges la laissa seule afin qu'elle puisse enfiler sa robe lilas et son tablier, non sans lui avoir encore répété d'utiliser l'escalier de service une fois arrivée au premier étage. Rose hocha la tête avec énergie. Elle avait envie de rester un instant dans *sa* chambre. Certes, la pièce était si minuscule qu'elle pouvait presque toucher les deux murs opposés en même temps, mais elle était à son usage personnel. En plus du lit, il y avait là une tablette avec une bougie, des clous au mur pour y suspendre ses vêtements, et même un tout petit miroir. Rose l'utilisa pour essayer d'ajuster sa coiffe aussi élégamment que Susan. Puis elle embrassa encore une fois la pièce du regard, ravie, et redescendit.

Elle martela rapidement les marches de bois de ses vieilles bottines rapiécées. Toutefois, lorsqu'elle atteignit l'escalier principal réservé à la famille et donc recouvert d'un tapis (quoique moins luxueux qu'en bas), elle ressentit physiquement la différence. La maison fredonnait, chantait dans sa tête. Les murs scintillaient. Le couloir semblait s'étendre sur plusieurs kilomètres. Rose s'agrippa fermement à la rampe. Elle avait l'impression qu'elle risquait à tout moment de s'envoler, de flotter au-dessus de cet escalier instable.

Qu'est-ce que c'est que cette maison ?

— Tu t'es perdue ? demanda soudain une voix amusée près d'elle. Ça fait un bon bout de temps que tu te tiens là !

Rose poussa un cri et se laissa tomber sur une marche. Elle aurait juré que ce garçon blond avait surgi de nulle part. Il n'y avait personne à ses côtés, une minute plus tôt !

— Qui es-tu ? haleta-t-elle, trop surprise pour songer aux convenances.

L'autre haussa les sourcils.

— Je m'appelle Frederick Paxton, répondit-il d'un ton sec.

Rose se leva brusquement : son ton lui avait rappelé où elle était, et *ce* qu'elle était.

— Veuillez me pardonner, Monsieur, s'excusa-t-elle en esquissant une révérence.

Vous m'avez fait peur. Je suis arrivée aujourd'hui, et... et... et j'ai du mal à retrouver le chemin des cuisines.

Elle regarda encore une fois autour d'elle. L'endroit semblait changer d'aspect à chaque fois qu'elle clignait des yeux.

— Descends tout en bas, puis prends l'escalier de gauche – celui des *domestiques*, l'informa-t-il d'une voix hautaine.

Comme il était étrange de s'entendre parler sur ce ton par quelqu'un de son âge, qu'elle aurait probablement battu à plate couture dans une bagarre !

— Je vous remercie, Monsieur.

Elle salua à nouveau et fila. Elle ne se retourna qu'une seule fois. Freddy l'examinait avec une expression indéchiffrable. On y lisait du dégoût, comme si elle avait été une espèce de cafard, mais aussi de la curiosité, et peut-être même de la frayeur...

4

Lorsqu'elle était arrivée dans cette maison, Rose ignorait tout de ce qui l'attendait. Elle s'était même demandé si sa vie n'allait pas devenir plus dure qu'à l'orphelinat. À St Bridget, les pensionnaires travaillaient la plus grande partie de la journée, recevant quelques cours d'enseignement général quand leur emploi du temps le permettait. On considérait qu'une fois qu'elles savaient à peu près lire et écrire, elles s'occupaient de manière plus profitable en apprenant à coudre ou à faire convenablement un feu. Après tout, c'était à ce genre de besognes qu'elles consacreraient le reste de leur vie. Être capable de déchiffrer une liste de courses devait amplement leur suffire.

Mais même le travail le plus pénible n'effrayait pas Rose. Elle était libre ! Elle allait être rémunérée ! Elle avait encore du mal à y croire. Si l'envie lui en prenait un jour, elle pouvait rendre son tablier et sortir de cette maison *sans que personne ne puisse le lui interdire* ! Bien sûr, elle ne le ferait pas, mais c'était bien agréable de penser que c'était possible.

Le matin du deuxième jour, Susan la réveilla à six heures en ouvrant sa porte à toute volée :

— Lève-toi. Tu vas être en retard !

Rose soupira. Elle ne savait pas pour quoi elle risquait d'être en retard, et encore moins ce qu'elle avait bien pu faire à Susan pour que celle-ci l'ait prise ainsi en grippe, mais à quoi bon se creuser la tête à ce sujet ? Susan retourna à grands pas dans sa chambre, et Rose alla se débarbouiller à la bassine. La robe lilas était encore impeccable. La veille au soir, elle avait presque terminé d'en coudre une autre, à rayures roses, avec l'aide de Sarah et de Miss Bridges.

Après son expérience avec l'escalier où tout se mouvait d'étrange façon, Rose avait décidé qu'elle ne lèverait pas les yeux de ses chaussures dans les étages résidentiels. De cette manière, avec un peu de chance, la danse des meubles et des parois ne la distrairait pas – à moins que le tapis aux vifs motifs ne s'y mette à son tour. Elle réussit à arriver ainsi jusqu'à l'escalier des domestiques, mais faillit s'empaler sur l'épée d'ornement accrochée à hauteur d'homme – épée qui, elle en était sûre, ne dépassait pas autant du mur la veille. Elle descendit les marches deux à deux et entra dans la cuisine en coup de vent, heureuse d'être toujours en un seul morceau.

— Mon Dieu, fillette, que t'arrive-t-il ? s'effara Mrs Jones en renversant du thé dans la soucoupe de Miss Bridges. Sarah, passe-moi un torchon !

Je vous demande pardon, Mrs Jones, s'excusa Rose avec une petite révérence.

Ses excuses parurent amadouer la cuisinière, mais cette dernière attendait une réponse à sa question. Rose bredouilla :

— Je... Je sais que ça a l'air idiot, mais... mais tout bouge, là-haut... J'essayais juste de descendre l'escalier pendant qu'il était encore là.

Miss Bridges lui lança un regard aigu par-dessus sa tasse :

— Qu'est-ce qui bouge, Rose ?

— Les murs. Et les marches... Et une épée a essayé de m'embrocher !

— Tu nous mènes en bateau ? fit Bill, debout devant **la** porte de service, le seau à cendres à la main. Les marches ne remuent pas. En tout cas, je ne les ai jamais vues faire ça !

— Mais si ! insista Rose.

Elle ne voulait surtout pas que Bill la croie aussi bête que Freddy, avec ses prétentions à flotter au-dessus de l'escalier.

— Une chose pareille ne m'étonnerait pas, ici, admit Mrs Jones d'un air sombre. Même si rien ne bouge avec moi – il ne manquerait plus que ça !

Bill gloussa, et Rose retint un sourire. La maison n'aurait jamais osé lui faire un tel affront. Il était facile d'imaginer la réaction de Mrs Jones face à des meubles enchantés. *Arrêtez ça tout de suite et laissez-moi tranquille, ou vous allez tâter de mon plumeau !* Mrs Jones était complètement hermétique à la magie. Elle avait bien de la chance. Rose aurait bien voulu être dans le même cas, mais la magie continuait à s'imposer à elle. Elle résolut de ne plus y avoir affaire à l'avenir : si quelque chose se transformait encore, elle fermerait les yeux, voilà tout.

— Tu n'as vraiment jamais rien vu d'étrange, là-haut ? chuchota-t-elle à Bill pendant qu'il lui montrait où se trouvait le nécessaire pour allumer le feu dans les chambres.

— Non, en dehors d'une explosion de temps en temps, quand Mr Freddy fait des bêtises. Si tu veux mon avis, il n'est pas très doué pour tous ces sortilèges. Mais tu te fais des idées au sujet de l'escalier. Il ne s'agit de rien d'autre qu'une maison, tu sais ! Et en briques en plus.

Rose hocha la tête. Elle aurait bien aimé le croire, mais elle ne pouvait douter de ses propres sens. Passer son temps à regarder ses chaussures n'allait pas être facile.

— Commence par Miss Anstruther, l'institutrice. Sa chambre est au deuxième étage, au fond du couloir, juste en face du tableau de la grosse dame avec son cheval. Après, il y a Mr Freddy et Miss Isabella, et enfin Mr Fountain. Susan s'occupe du rez-de-chaussée. Dépêche-toi si tu veux qu'il te reste de quoi petit-déjeuner !

Rose saisit le lourd seau à charbon d'une main et les brosses et chiffons de l'autre. Bill l'arrêta :

— Ne le secoue pas comme ça ! Il faut que tu marches en silence. Tu ne dois pas les réveiller !

Elle fronça les sourcils, soucieuse. Elle savait allumer un feu, mais comment rester discrète ? Les gros morceaux de charbon ne pouvaient guère être manipulés sans faire de bruit. Bill haussa les épaules.

— Bah, tant pis ! De toute façon, ils ont tous un sommeil de plomb. Fais de ton mieux.

De toute évidence, Miss Anstruther n'avait pas le sommeil léger. Lorsque Rose fit tomber une pelletée de charbon dans le foyer, elle se contenta de se retourner en grognant et de marmonner quelque chose qui lui aurait valu d'avoir la bouche frictionnée avec du savon à St Bridget.

Freddy, lui, se réveilla et lui lança un regard furieux lorsqu'elle ouvrit sa porte. Rose se dit qu'elle était probablement censée l'ignorer. Elle jeta tout de même un œil dans sa direction avant de quitter la pièce : il continuait à la fixer. Il ferma toutefois les paupières dès qu'il vit qu'elle l'observait. Rose eut la nette impression qu'il l'aurait volontiers changée en cafard.

La fillette ne connaissait pas ne connaissait pas grand-chose aux garçons. Elle n'avait jamais eu l'occasion de bavarder avec l'un d'entre eux avant Bill. Les surveillantes de St Bridget étaient convaincues que la moralité des orphelines serait à tout jamais détruite si elles *respiraient* seulement le même air qu'un garçon. Les filles voyaient les pensionnaires de St Bartholomew le dimanche à l'église, jamais plus. Malgré ça, elle était certaine que ceux-ci auraient considéré Freddy comme un sale snob qui n'avait jamais eu à lever le petit doigt. Ils auraient certainement pris du plaisir à lui faire un œil au beurre noir, ou deux.

Rose secoua la tête. Quel dommage de ne pouvoir lui dire ses quatre vérités sans risquer d'être aussitôt renvoyée. Sans compter qu'il n'était pas exclu qu'elle se retrouve changée en cafard. Heureusement, elle pouvait s'entretenir avec Bill, si normal, si sensé. L'ombre d'un doute s'infiltra dans l'esprit de Rose : et si elle n'était pas tout à fait normale elle-même ? Créer des images n'était pas une chose ordinaire. Heureusement, personne n'était au courant. Elle avait fait une erreur, tout à l'heure, en évoquant l'escalier :

visiblement, personne ne le sentait, comme elle, bouger sous ses pieds.

Rose résolut de se montrer aussi normale que possible. Ennuyeuse, même, si elle y parvenait. Elle ne voulait surtout pas se faire remarquer.

En découvrant la chambre de Miss Isabella, elle faillit lâcher le seau. Elle avait bien vu que l'air pincé que prenaient les domestiques quand ils parlaient de la jeune fille n'avait rien à voir avec la sympathie que chacun témoignait à Miss Anstruther : Mrs Jones avait même fait monter quelque breuvage aux herbes pour lui redonner des forces, la veille, lorsque des cris s'étaient élevés dans la salle de classe. Rose avait cru comprendre qu'Isabella était passablement gâtée. Sa chambre confirmait cette impression. Tout ce qui pouvait être orné de dentelle l'était. Le lit était recouvert d'un baldaquin (en dentelle) porté par un ange doré, et disparaissait sous des piles d'oreillers (en dentelle) et d'étoffes brodées. Partout, des poupées, des jouets, et même un cheval à bascule plus grand qu'Albert, celui de St Bridget. Rose regarda le lit du coin de l'œil. Des boucles blondes. Bien sûr. Et une magnifique chemise de nuit (en

dentelle). Elle ne pouvait pas voir grand-
chose d'autre.

Rose secoua la tête, ahurie, et repensa au
petit déjeuner. Il fallait qu'elle se dépêche.

Incroyable ! Même le carrelage de la cheminée était ornemental, avec ses motifs à
fleurs.

— Qui es-tu ? demanda soudain une petite
voix impérieuse.

Rose sursauta et répandit des cendres tout
autour de l'âtre. Toujours à genoux, elle se
retourna et vit Miss Isabella qui l'examinait,
assise sur son lit.

— Veuillez m'excuser, Miss, je ne voulais
pas vous réveiller. Je suis la nouvelle femme
de chambre, Rose.

— Ah. Tu es laide. (Isabella bâilla). Beaucoup de charbon, s'il te plaît. Il fait froid. Et
passe-moi les petits gâteaux.

Rose demeura une seconde bouche bée,
puis aperçut un plat en porcelaine (rose)
contenant des biscuits sur la table de chevet,
à portée de main d'Isabella. Néanmoins, elle
se leva et le lui offrit poliment. La fillette en
prit une grosse poignée. Rose s'efforça de ne
pas se sentir envieuse : elle aussi, elle avait
faim. Elle finit de préparer le feu sous le flot

ininterrompu des remarques d'Isabella qui, tout en mâchonnant ses biscuits, lui disait qu'elle était bien maladroite ou que Lizzie, la femme de chambre précédente, était beaucoup plus jolie. Quand les flammes s'élevèrent enfin, Rose mourait d'envie de la gifler. Elle referma la porte de la pièce derrière elle et s'y adossa pour respirer à fond. Petite peste ! Était-elle également magicienne ? Elle semblait toutefois trop jeune pour faire usage de maléfices. C'était à espérer, en tout cas. Rose se promit de mettre un supplément de charbon chez Miss Anstruther, le lendemain matin : la pauvre femme méritait bien ça.

Par chance, même les grondements d'estomac de Rose ne réveillèrent pas Mr Fountain. Elle ne vit de lui qu'un bonnet de nuit très chic et une grande moustache tenue en place par un étrange filet fixé derrière ses oreilles. Rose étouffa un rire. On aurait dit que sa moustache était en train d'envahir son visage. Rien dans cet homme qui ronflait ne laissait deviner qu'il s'agissait d'un célèbre magicien.

Rose redescendit en courant, évitant toujours de regarder les murs de crainte qu'ils s'en prennent à elle. Elle s'assit à la table de la cuisine. Mrs Jones plaça un grand bol de porridge devant elle et Bill lui tendit le pot de miel. Il marmonna une plaisanterie au sujet des escaliers, mais Rose ne comprit pas ce qu'il disait : il avait déjà la bouche pleine. Elle suivit son exemple. Le porridge était délicieux.

Soudain, quelque chose de doux et de poilu effleura sa jambe. Rose se releva d'un bond en poussant un cri perçant.

— Encore ce maudit chat ! pesta Mrs Jones.

En effet, la flèche argentée qui jaillit de sous le meuble s'avéra être un énorme et magnifique chat blanc. Il sauta sur la table et dévisagea Rose avec insistance. Il avait un œil bleu, l'autre orange, et d'énormes moustaches.

— Gustavus, pas sur la table, je te prie ! le rappela à l'ordre Miss Bridge.

Rose la regarda avec surprise. Elle avait adressé sa réprimande à l'animal sur un ton si poli ! Le chat de l'orphelinat n'était là que pour chasser les souris, pas pour être câliné. Il se faisait souvent houspiller, et même si les souris ne manquaient pas, il devait peser tout au plus la moitié du poids de ce superbe quadrupède.

Gustavus – quel nom ! – eut l'air de réfléchir, puis décida de coopérer en allant s'installer sur les genoux de Rose, d'où il fixa avec espoir les yeux sur le cellier.

— Tiens, le chat t'aime bien, remarqua Miss Bridges. Tant mieux. Susan, donne-lui une tasse de crème, veux-tu ?

À contrecœur, Susan se leva et disparut dans la petite pièce fraîche où était conservée la nourriture. Les moustaches de Gustavus frémirent d'excitation, et le bout de sa queue fouetta la jambe de Rose. Celle-ci l'observait avec curiosité.

— Il comprend ce qu'on dit ?

— Il n'est pas naturel, constata Bill.

Le chat eut l'air de lui sourire. Bill eut un frisson et marmonna le mot « monstre ».

Susan posa brutalement un bol orné d'un liseré doré devant Rose. Gustavus la regarda d'un air mécontent : la crème avait débordé. Susan s'assit et recommença à manger son porridge, mais elle ne réussit à en avaler qu'une bouchée avant de reposer sa cuillère. Gustavus avait toujours les yeux braqués sur elle.

— Bon, bon, d'accord ! maugréa-t-elle en se levant pour prendre un torchon et essuyer les gouttes.

Quand la table fut propre, le chat consentit à laper délicatement la crème. Ses interminables moustaches trempaient dans le breuvage. Au bout d'un moment, il interrompit son repas et se retourna vers Rose. Son regard était appuyé, le genre de regard que Rose, à l'église, aurait lancé à une fille qui l'aurait observée avec trop d'insistance. Un regard qui voulait dire : « *Eh bien Quoi ?* »

— Désolée, murmura Rose. C'est juste que tu as de la crème sur les moustaches...

Et alors ?

Rien, rien...

Rose fut soudain consciente de lui avoir répondu silencieusement. Ou pas ? Non, elle avait dû imaginer cette brève conversation.

Gustavus se lécha les babines en prenant son temps, sa langue incroyablement longue s'enroulant avec élégance autour de ses moustaches, savourant la moindre goutte de crème. Puis il se pencha à nouveau vers le bol et se remit à en laper le contenu avec lenteur et dignité.

— La meilleure crème du Jersey, se désola Mrs Jones. Quel gâchis !

Le chat se tourna vers Rose et cligna son œil bleu.

— Visiblement, il s'est pris d'affection pour notre petite Rose, constata la cuisinière, le regard toujours posé sur le bol au liseré doré, comme si cette vue lui faisait physiquement mal. Et puisque quelqu'un doit le nourrir...

— S'il l'aime tant que ça, elle peut le brosser, aussi, grogna Susan. Il griffe, l'horrible bestiole.

Tu n'es pas très apprécié, on dirait, lança Rose à l'attention du chat sans même y songer.

Je ne crois pas que tu devrais prendre cette habitude, ma chère. Du moins, fais en sorte que personne ne s'en aperçoive.

Rose répondit par un léger hochement de tête. Il avait raison. Elle ignorait comment elle faisait pour communiquer avec lui, mais il était évident que les autres domestiques se méfiaient de lui. Ils ne semblaient guère aimer Freddy non plus, d'ailleurs. Les gens normaux n'appréciaient-ils donc pas la magie ? D'un autre côté, Miss Bridges considérait Mr Fountain comme un dieu, et Bill lui-même lui manifestait un certain respect réticent. Il était vrai que le magicien payait leurs gages... Leurs sentiments exacts étaient difficiles à déterminer. En tout cas, il valait mieux ne pas laisser deviner ses propres dispositions en la matière. Pas avant de mieux comprendre ce qui se passait. La magie était manifestement réservée aux classes supérieures ; elle n'était pas censée y connaître quoi que ce soit. Rose frémit. Elle ne voulait surtout pas avoir l'air d'oublier sa place.

Elle leva le nez et vit que Miss Bridges la dévisageait avec attention. Rose s'efforça de paraître innocente ou même stupide, mais elle n'était pas sûre de convaincre la gouvernante. Derrière le pince-nez qu'elle utilisait pour inspecter la liste des draps qui devaient partir au blanchissage, ses yeux sombres avaient une expression pensive. Rose eut la fâcheuse impression que Miss Bridges la croyait tout sauf idiote.

Après le petit déjeuner, Miss Bridges fit avec Rose un tour de la maison plus détaillé que la veille, pour lui montrer les tâches qui lui seraient confiées. Tout comme le matin quand il s'était agi d'allumer un feu dans les cheminées, Susan, en sa qualité de première femme de chambre, s'occuperait des élégantes pièces du rez-de-chaussée, tandis qu'elle-même serait chargée des chambres. Cette répartition lui convenait tout à fait. Elle avait vu la salle de réception en passant, et la quantité de bibelots fragiles qui y étaient entreposés l'avait affolée. Elle préférait de loin nettoyer les étages. À la rigueur, il était possible de casser un pot de chambre, mais il fallait vraiment s'acharner dessus.

— Voici le laboratoire, déclara Miss Bridges en ouvrant une porte noircie par la fumée. Mr Fountain l'utilise pour faire ses... sa magie, dit-elle sans autres explications. Mais à cette heure-ci, il est toujours à la Cour, donc tu ne risques pas de le déranger. Dépoussière les meubles, balaie le sol, astique les vases, mais pour l'amour de Dieu, Rose, ne touche pas ce sur quoi il travaille : cela pourrait être vital pour la nation.

Rose plissa le front, inquiète, en voyant les innombrables récipients en verre. Peut-être la salle de réception aurait-elle été préférable, en fin de compte. Un frisson la parcourut. La pièce était sinistre. Malgré les hautes fenêtres, la lumière ne semblait pas atteindre les coins. Il n'y avait ni toile d'araignée ni poussière, mais l'atmosphère n'en était pas moins lugubre. Au centre de la pièce, une grande table disparaissait sous un arrangement complexe d'alambics et de tubes pleins d'un liquide jaunâtre s'écoulant goutte à goutte.

— C'est de l'or ? demanda Rose, curieuse.

Bill lui avait dit que Mr Fountain fabriquait de l'or, et ce métal était à peu près de cette couleur.

— Bien sûr que non ! répondit dédaigneusement une voix dans son dos.

Le garçon aux cheveux pâles, Freddy, venait d'arriver. Il avait l'air contrarié.

Miss Bridges fit la grimace. C'était la première fois que Rose la voyait faire quelque chose d'aussi peu distingué. Il était évident que Freddy n'était pas plus apprécié que le chat, qui entra à son tour dans la pièce d'un pas nonchalant.

Tout en faisant mine de regarder humblement ses bottines, Rose examina le garçon du coin de l'œil. Elle commençait à connaître les habitants de la maison. De toute évidence, Miss Bridges devait trouver le jeune apprenti antipathique non pas à cause de ses pouvoirs mais plutôt de son impolitesse. La gouvernante semblait bien plus tolérante envers les magiciens que les autres employés. Et puis Freddy avait récemment cassé un vase Ming ; cela suffisait pour que Miss Bridges ait envie de l'étriper.

Freddy passa auprès d'elles, enveloppé dans une chape de supériorité. Rose aurait bien voulu l'interroger au sujet des étranges choses qui lui étaient arrivées récemment, mais n'oubliait pas qu'elle devait rester invisible pour ces gens.

Miss Bridges s'en alla après une dernière salve de recommandations à l'adresse de Rose. Freddy s'installa alors à une table et se mit à tourner les pages d'un grand livre. Assis à côté de lui, le chat regardait Rose balayer. Ses yeux plantés sur elle la troublaient au point de lui donner l'impression que ses pieds avaient doublé de taille : elle faillit trébucher sur son propre balai.

— Tu as oublié ce coin-là.

Freddy examinait le sol par-dessus son livre. Lui non plus n'avait pas l'air de trouver son travail efficace.

Rose eut garde de soupirer. Obéissante, elle marmonna « Oui, Monsieur » et nettoya le coin – parfaitement propre – qu'il lui désignait.

Freddy se cacha derrière son livre pour ricaner. Rose rougit de colère avant de remarquer le titre doré sur la couverture de cuir noir élimé. *Le Premier Grimoire du parfait apprenti*, par Prendergast. Si seulement elle avait pu le feuilleter ! Il aurait sûrement pu lui apporter quelques éclaircissements au sujet de certains phénomènes tels que les images sur des baignoires, les maisons remuantes et les chats télépathes. Voire lui apprendre à les éliminer, afin qu'elle puisse se concentrer sur son travail.

Contournant Freddy pour balayer près de la fenêtre, elle jeta un coup d'œil par-dessus son épaule. Plongé dans sa lecture, il ne s'en aperçut pas. Même le chat semblait concentré sur les pages. Rose s'avança sur la pointe des pieds. À sa grande déception, cependant, elle découvrit que Freddy n'était pas occupé à étudier : il avait dissimulé un illustré entre les feuilles et se passionnait pour les aventures de *Jack Jones, le héros des sept mers*. Jack Jones était en train de lutter contre une pieuvre géante. Dépitée, Rose poussa un profond soupir juste derrière Freddy ; ce dernier referma brusquement le livre, l'air coupable. Rose l'ignora. Elle ramassa son petit tas de poussière et se dirigea vers la porte. Peut-être pourrait-elle jeter un coup d'œil au grimoire de Prendergast le lendemain, en venant épousseter les meubles ?

Elle quitta la pièce sous les regards soupçonneux du garçon et du chat.

5

Après avoir nettoyé le laboratoire, Rose descendit l'escalier à l'envers pour voir si cela pouvait faire obstacle à ses petits tours. Ce ne fut pas le cas. Elle était presque certaine d'entendre la maison rire sous cape, mais c'était un rire amical et non un ricanement désagréable. Obstinée, elle continua malgré tout sa descente à l'envers, ce qui n'était pas facile, car elle tenait son balai et sa pelle à la main. Elle approcha ainsi lentement du premier étage, où elle allait se retrouver en sécurité dans l'escalier de service. Dans sa joie, elle alla un peu trop vite. Son pied dérapa sur l'épais tapis, elle trébucha contre le balai et tomba à la renverse.

Rose poussa un cri d'horreur en repensant à Mr Freddy et au vase Ming. Elle eut le temps d'imaginer son renvoi et son retour déshonorant à l'orphelinat. *Pas question !* pensa-t-elle, les larmes aux yeux. Quelles que fussent la magie et la bizarrerie qui régnaient dans cette demeure, elle n'avait pas l'intention de retourner à St Bridget – *non, non et non !* La maison sembla l'approuver. Juste au moment où cette pensée traversa son esprit, quelque chose la rattrapa au vol et la remit sur ses pieds.

Quelque chose ? Quelqu'un ? Quelque chose avec des bras costauds. Et poilus. Rose se laissa choir sur la sixième marche et leva les yeux vers l'ours empaillé qui se tenait devant elle, dans une niche du mur, pattes innocemment croisées sur son ventre rebondi dont le poil se raréfiait. Malgré les énormes griffes qui brillaient sous l'éclairage au gaz, il avait l'air d'un gros bêta plutôt que d'un animal féroce. *Qui, moi ?* crut-elle l'entendre. *Je suis empaillé, moi. Je ne peux pas bouger, voyons. Non, tu t'es accrochée à la rampe, c'est tout. À l'avenir, fais plus attention, ma jolie.*

Mais en descendant les dernières marches d'un pas hésitant, elle eut l'impression de distinguer un gloussement à peine audible.

Voilà, comme ça, petite. Dans le bon sens, c'est mieux. C'est plus sûr, tu vois ?

Rose se glissa dans la cuisine en essayant de se convaincre que la maison qu'elle était chargée de nettoyer n'était rien d'autre qu'un gros édifice tout ce qu'il y avait de plus banal plutôt qu'un ensemble à la fois effrayant et fascinant d'escaliers instables et d'objets parlant. Elle se présenta devant Miss Bridges avec l'air d'une jeune fille raisonnable et non d'une originale parlant aux ours. Ou plutôt à qui les ours parlaient. C'était ça le plus injuste : elle n'avait jamais adressé la parole à un ours de sa vie. Elle n'avait jamais demandé à communiquer avec eux !

— J'ai terminé, Miss !

Derrière Miss Bridges, Bill était assis à table, les cheveux plus ébouriffés que jamais. Il était en train d'avaler un énorme morceau de pain trempé dans de la graisse, mais cela ne l'empêcha pas d'imiter sa mimique en minaudant, faisant clairement comprendre qu'il la prenait pour une lèche-bottes. Elle le foudroya du regard : *Attends un peu et tu vas voir.* Bizarrement, depuis qu'elle savait qu'il venait de St Bartholomew, elle le considérait presque comme un frère, dans le sens où elle pouvait tout à fait s'imaginer lui tirer les cheveux (pour peu qu'ils aient été moins courts) ou lui voler des bonbons.

— Très bien, approuva Miss Bridges. Et toi, Bill, continua-t-elle sans même se retourner, arrête tes simagrées. Tu n'as pas encore ciré les bottes du maître. Va vite !

Rose fut très impressionnée par sa clairvoyance. Elle avait toujours pensé que la rumeur au sujet de l'œil magique de Miss Lockwood était fausse, mais ici, rien n'était certain. Il n'était pas du tout impossible que Miss Bridges dissimulât un objet enchanté dans son impeccable chignon.

— Simple bon sens, Rose, s'amusa Miss Bridges. Je n'ai jamais vu Bill s'abstenir de faire des grimaces. Allez, viens, nous avons du travail.

Et elle se mit en route, faisant entendre le bruissement de sa longue jupe noire. Rose lui emboita le pas, trottinant derrière elle.

Miss Bridges – qui aurait probablement été traitée de despote par les filles de l'orphelinat – était juste une femme qui voulait que les choses soient bien faites ; elle n'aimait pas voir des gens bayer aux corneilles. En tant que gouvernante de la maison, elle disposait d'une pièce près de la cuisine qui lui servait à la fois de petit salon et de bureau ; c'était là qu'elle tenait ses comptes et passait commande auprès des fournisseurs. Cette pièce comportait aussi un énorme placard rempli de toutes sortes de babioles et de trésors. C'était de là qu'étaient sorties les nouvelles chaussures de Rose – de belles bottines à boutons ayant appartenu à une femme de chambre longtemps auparavant, qui lui allaient si bien que ses orteils en frétillaient d'aise.

C'était là que se dirigeait à présent Miss Bridges. Elle y fouilla longuement avant d'en extraire un petit panier joliment tapissé de cotonnade bleue à carreaux.

— Prends ça, Rose. Je n'aime pas voir les servantes désœuvrées. Quand tu auras du temps libre, tu pourras faire du raccommodage avec ce nécessaire à couture.

Rose en eut le souffle coupé. Il y avait là un porte-aiguilles – un simple morceau de feutre, mais piqué de deux belles aiguilles –, une pelote de fil noir, un dé à coudre, et un œuf à repriser ! Cette accumulation de richesses pour son usage personnel lui fit monter les larmes aux yeux.

— Mais souviens-toi, Rose, que même si tu peux faire ta couture dans la cuisine, tu dois ravauder tes bas dans l'intimité de ta chambre. Il ne faudrait surtout pas que Bill ou, pire encore, que le garçon boucher aperçoive tes dessous !

Rose secoua la tête, horrifiée par cette idée.

— Bien sûr que non, Miss !

— Fort bien. À présent, j'ai des commissions à te confier, et je pense que Mrs Jones te chargera aussi de lui rapporter des choses.

— Vous voulez dire que je vais aller faire des emplettes, Miss ? Toute seule ?

— Oui. Les courses représentent une partie importante de ton travail. Ne t'inquiète pas, nous te fournirons une liste, ainsi que les adresses des lieux où tu dois te rendre.

Elle plissa légèrement le front et ajouta :

— Tu sais lire, n'est-ce pas ?

— Pour sûr, Miss ! St Bridget est un orphelinat progressiste. Je sais même écrire.

— Parfait. (Miss Bridges commença à noter des choses sur un morceau de papier d'une élégante écriture penchée.) Les marchands nous livrent à domicile la plupart des denrées dont nous avons besoin, mais il manque toujours quelque chose. Il me faut du produit de nettoyage pour l'argenterie, par exemple : nous n'en avons presque plus.

Rose essaya de ne pas avoir l'air coupable : Bill et elle en avaient fait un usage assez immodéré, la veille.

Mrs Jones était en train de boire son thé, comme tous les jours au milieu de la matinée, en lisant le journal :

— Un petit garçon disparu juste devant chez lui. N'est-ce pas navrant, Miss Bridges ? C'est la faute des parents, bien entendu. Je dis toujours que les gens ne sont pas assez prudents. Et encore une révolution dans un de ces pays d'Extrême-Orient. Le monde marche sur la tête. Je me demande ce que nous allons devenir !

Miss Bridges montra sa liste.

— Avez-vous des commissions à confier à Rose, Mrs Jones ?

Le visage de la cuisinière s'éclaircit.

— Alors, voyons un peu. Si Rose va à l'épicerie, Miss Bridges, j'aurais besoin de violettes cristallisées. Vous savez combien Miss Isabella les apprécie, et elles sont presque terminées. (Elle sortit un crayon de la poche de son tablier et ajouta deux mots à la liste de la gouvernante.) Il faudrait aussi qu'elle passe chez le poissonnier au sujet du crabe ; c'est juste à côté. Elle lui donnera ce mot de ma part. Il est hors de question que je me contente de ce petit machin minable. Un crabe, ça ? Une grosse araignée, tout au plus ! Tu prendras bien garde à toi, n'est-ce pas, fillette ? Tu n'as pas l'habitude de ces rues animées. Trouve un policier, et demande-lui de t'aider à traverser. Miss Bridges, vous devriez lui tracer un plan ; vous êtes plus douée que moi pour ce genre de chose. (Elle mâchonna pensivement le bout de son crayon.) Ou mieux encore, si on envoyait Bill avec elle pour sa première sortie ?

Miss Bridges hésita.

— Peut-être...

— Vous avez besoin de moi, Miss ? demanda Bill en apparaissant sur le seuil de la porte, l'air innocent et le nez taché de cirage noir.

La gouvernante réfléchit encore un instant, puis céda :

— Très bien. Tu peux accompagner Rose, Bill, mais va droit chez le poissonnier. Ne lambine pas, et ne traîne pas avec tes connaissances peu fréquentables. Mets ta livrée. Toi, Rose, va chercher ton manteau.

En revenant deux minutes plus tard, Rose découvrit ce en quoi consistait cette « livrée » : une veste noire ornée de galons dorés et un grand chapeau bizarre.

— Je ne te conseille pas de rire ! lui souffla Bill à l'oreille.

Miss Bridges était retournée dans son bureau pour écrire une lettre pleine de reproches au ramoneur au sujet de la présence d'un nid dans la cheminée du salon. Mrs Jones s'agitait, leur faisait d'ultimes recommandations, tendait un panier à Rose, lui expliquait qu'il fallait mettre les achats sur le compte de Mr Fountain. Puis elle jeta un coup d'œil vers le bureau de Miss Bridges et leur tendit à chacun un penny tiré du porte-monnaie en laine qu'elle conservait dans un chaudron à confiture.

— Achète-toi quelques bonbons, Rose. Bill, interdiction de prendre de cette horrible poudre rose : je ne veux pas que tu vomisses partout dans ma cuisine comme la dernière fois.

Bill secoua la tête de l'air de quelqu'un qui n'y songeait même pas.

— Allez, viens ! dit-il à Rose en lui tenant la porte comme si c'était une duchesse.

Elle passa devant lui, menton levé, en se retenant de rire. Le portail de la cour se referma derrière eux, et un frisson d'excitation lui courut le long de la colonne vertébrale. Ils étaient dehors, sans adulte, et elle avait même un penny à dépenser !

— Par où allons-nous ?

— Par ici, la mioche. Et ne me fais pas honte, hein !

— Ah oui ? Avec le chapeau que tu as sur la tête, tu n'as pas besoin de moi pour ça !

Il rougit.

— Miss Bridges le trouve chic. Moi j'ai l'impression d'avoir un pot de fleurs sur le crâne !

Rose se sentit aussitôt coupable.

— Il n'est pas si moche que ça, en fait... Et il est à ta taille, au moins.

— Mouais... Allez, viens. Le poissonnier est par là.

Rose le suivit en essayant de retenir le chemin qu'ils prenaient, mais Bill emprunta tant de ruelles et de raccourcis qu'elle était déjà perdue quand ils débouchèrent sur une grande rue très animée. Rose s'arrêta net près d'un tas de vieux chiffons, en soulevant sa

jupe pour ne pas la salir. Elle avait l'air paniquée.

— Qu'est-ce qui t'arrive ? s'impatienta Bill.

— Il y a tellement de monde !

Bill regarda la rue comme s'il la voyait
pour la première fois.

— C'est vrai. J'avais oublié comment
c'était, de sortir de l'orphelinat. (Il cligna des
yeux, envahi par les souvenirs, puis se
secoua.) Ne t'inquiète pas, Rose, tout ira bien.
Fais juste attention en traversant la rue : certains chevaux trottent vraiment vite.

Rose hocha la tête. Elle regarda les animaux énormes, luisants, qui martelaient le
sol de leurs sabots et soufflaient de l'air par
leurs naseaux. Les voitures qu'ils traînaient,
pour la plupart ouvertes, transportaient des
élégantes qui saluaient leurs connaissances
d'un sourire.

— Mr Fountain a-t-il un véhicule comme
ça, lui aussi ?

— Bien sûr. Une calèche, comme celle-là,
là-bas, et deux chevaux noirs. Ils sont dans
les écuries, derrière la maison. Le palefrenier
et le cocher viennent parfois prendre leurs
repas avec nous, mais en général, Mrs Jones
m'envoie leur apporter un panier. Miss

Bridges estime que les gens d'écurie sont d'un statut inférieur au nôtre.

Rose essaya de faire comme si elle savait de quoi il parlait, sans y parvenir. Bill lui sourit :

— Tu comprendras tout ça petit à petit. Eh, toi, fais attention !

Rose sentit quelque chose tirer sa jupe et poussa un cri d'effroi en se rapprochant précipitamment de Bill. Le tas de chiffons à côté duquel elle se tenait venait de se métamorphoser en enfant. C'était un mendiant qui avait dormi près du mur, enveloppé dans un manteau sale.

Bill la tira par la manche en grommelant quelque chose, mais Rose se retourna pour regarder avec horreur les joues creuses du petit vagabond.

— Un penny, Miss ? Un penny pour m'acheter à manger ? lui lança l'enfant pendant qu'elle s'éloignait (s'agissait-il d'une fille ou d'un garçon ? Impossible à dire.)

— Pouvons-nous revenir en arrière ? demanda-t-elle à Bill.

— Revenir en arrière ? fit-il, étonné. Pour quoi faire ?

— Elle... je veux dire, il... il voulait juste un penny, et j'en ai un !

Rose se retourna à nouveau, mais l'enfant s'était renfoncé dans la ruelle, et elle ne voyait plus que son pied nu et gris dépasser du mur. Elle frissonna. Ç'aurait pu être elle. Soudain lui revinrent en mémoire les histoires édifiantes lues par les institutrices de l'orphelinat, et dans lesquelles des enfants mouraient de froid dans la rue. Elle avait toujours su que cela existait, et elle avait été heureuse de ne pas être à leur place, mais elle n'avait jamais vraiment réussi à s'imaginer dans cette situation elle-même. Maintenant, elle se rendait compte à quel point elle avait eu de la chance.

— S'il te plaît, Bill ! le supplia-t-elle.

Mais il était déjà reparti. Rose dut courir pour le rattraper : elle n'osait pas le perdre de vue.

— Tu as le cœur trop tendre, Rose. Tu finiras par apprendre. Il y a des mendiants partout ; on ne peut pas donner à tout le monde.

— C'est vrai, fit-elle tristement. Mais il m'a demandé un penny, et c'est justement ce que j'ai dans ma poche...

Bill ralentit soudain pendant une seconde, puis se redressa de toute sa taille et accéléra à nouveau. Rose trotta derrière lui.

— Que se passe-t-il ?

Un autre garçon venait dans leur direction, vêtu d'une livrée semblable à celle de Bill, sauf que la sienne était verte et comportait un bonnet en velours disparaissant sous les dorures au lieu d'un chapeau trop grand.

Rose sentit Bill se hérisser comme un chien. Le nouveau venu les examinait avec attention.

— Tu es devenu bonne d'enfants, Bill ? railla-t-il en désignant Rose du pouce.

Rose voulut se cacher derrière Bill, tandis que lui faisait mine de ne pas la connaître. Ils faillirent se heurter. Bill lança un regard noir à sa compagne, et l'autre garçon se mit à rire.

— C'est notre nouvelle femme de chambre, grommela Bill avant de passer à l'attaque : Qu'est-ce que tu fais avec cette crêpe sur la tête ?

— Tu peux parler, tiens. On pourrait jouer aux quilles avec ton couvre-chef !

Les deux garçons se dévisagèrent encore pendant une ou deux secondes, puis décidèrent d'un commun accord qu'ils avaient échangé suffisamment d'insultes.

— Rose, voici George. Il vient de St Bartholomew, lui aussi. Il a trouvé du travail dans une maison de l'autre côté du parc. Rose vient de St Bridget, expliqua-t-il à George.

— C'est vrai ? Tu connais ma sœur, Eliza ? Elle va bien ?

Rose acquiesça timidement, tout en remarquant à quel point ils se ressemblaient. George avait le visage aussi constellé de taches de rousseur qu'Eliza. Elle s'abstint de dire qu'elle lui avait soufflé sa place, et songea avec étonnement que George n'avait probablement pas vu sa sœur depuis des années, sauf de loin, à l'église, alors qu'ils avaient vécu dans deux bâtiments mitoyens. Le garçon s'adressa à nouveau à Bill :

— As-tu vu Jack récemment ?

— Pas depuis une quinzaine de jours, au moins. Pourquoi ?

George croisa les bras et annonça sur un ton dramatique :

— Il a disparu !

— Quoi ?

— Parti. Envolé. Il s'est fait la belle !

— Pourquoi aurait-il fait une chose pareille ? Et où serait-il allé ? C'est ridicule !

— N'empêche que c'est vrai. Un soir, il n'est pas rentré chez son maître. Le cocher savait que je le connaissais, et il est venu me demander si j'avais eu de ses nouvelles. Il a disparu, je te dis.

— Il a dû s'enrôler dans un cirque. C'était son rêve. Monter à cru, ce genre de choses. Il reviendra bientôt. C'est vraiment stupide, ajouta Bill en fronçant les sourcils. On ne lui rendra pas sa place. Il sera réexpédié à l'orphelinat.

— Non. On ne le reprendra pas, à St Bartholomew. Il finira à l'hospice. Bon, il faut que j'y aille. À la prochaine !

George s'éloigna, et Bill se remit sombrement en chemin.

— Je n'arrive pas à croire qu'il ait fait ça, maugréa-t-il à mi-voix. Quel idiot !

— C'était un ami à toi ? demanda Rose.

— Oui. Nous avons quitté St Bartholomew en même temps, tous les trois. Jack a un ou deux ans de moins que moi. Il n'est pas resté longtemps à l'orphelinat. Son père est parti à la guerre et n'est jamais revenu ; ensuite, sa mère est morte d'une fièvre. C'est comme ça qu'il s'est retrouvé avec nous. Il a toujours prétendu qu'il n'aurait pas dû être là, qu'il n'était pas orphelin, que son père reviendrait le chercher.

Bill secoua la tête, et poursuivit :

— Il avait trouvé une place de garçon d'écurie pas très loin de là où travaille George. Il a toujours aimé les chevaux. Il était heureux ! Pourquoi serait-il parti sans rien dire à personne ?

— Ce n'est pas ici, le poissonnier ? demanda Rose en arrêtant Bill par sa veste – elle venait de remarquer une enseigne en forme de poisson qui se balançait au-dessus de leur tête.

— Hein ? Ah oui, c'est là. Viens.

Bill poussa la porte en verre et franchit le seuil pavé. Rose ouvrit de grands yeux. Il y avait toujours du poisson à l'orphelinat le vendredi, mais celui qu'on leur servait n'avait rien d'appétissant. C'était le moins cher que la cuisinière avait pu trouver, et il sentait mauvais. Rose avait donc de bonnes raisons de détester le poisson, même en dehors de son histoire personnelle. Dans cette boutique, une odeur marine flottait dans l'air, en rien comparable à la puanteur qui envahissait la cuisine de St Bridget le vendredi matin. Et quelles bêtes ! De vrais monstres ! Rose n'avait jamais imaginé qu'un poisson puisse être si gros. Il y en avait un qui faisait au moins la moitié de sa taille. Ils étaient étendus sur de grandes dalles de marbre, entourés de morceaux de glace, et parsemés de persil. Elle eut l'impression qu'ils la suivaient des yeux tandis qu'elle traversait le magasin. Elle arriva devant un bac où étaient entassées de drôles de bestioles noirâtres munies de pinces – le genre de choses maléfiques et répugnantes que Rose s'était attendue à voir dans le laboratoire de Mr Fountain. Elle se pencha dessus, intriguée, et fit un bond en arrière lorsque l'une d'elles agita une patte. Elles étaient vivantes !

Derrière le comptoir, quelqu'un se mit à rire. C'était un jeune homme un peu plus âgé que Bill, enveloppé dans un énorme tablier bleu rayé de blanc. Rose rougit.

— La ferme, toi ! lui intima Bill sur le ton d'un grand seigneur. Nous venons nous plaindre. Rose, donne le papier à cet échalas !

Rose sortit la lettre de son panier et la posa sur le comptoir. Au-dessus du marbre impeccable, les ongles du jeune homme étaient sales et couverts d'écailles. Elle fronça le nez, désapprobatrice.

Le jeune homme lit lentement le mot de Mrs Jones.

— Il était tout à fait bien, ce crabe ! marmotta-t-il. Vieille radine ! Mon père est occupé par une livraison. Je lui remettrai ça plus tard ; en attendant, je vais quand même vous en donner un autre. (Il se pencha vers les monstres à carapace et en saisit un.) Celui-là, il vous va ?

Le crabe remua faiblement une patte – ses pinces étaient attachées par des ficelles – et Rose recula, horrifiée.

— Quoi encore ? demanda le jeune homme. Il n'est pas assez gros ? Vous n'êtes pas difficiles, vous, hein ? Bon, bon, d'accord !

Il fourragea dans la pile de créatures remuantes et en sortit un énorme crustacé qu'il brandit sous le menton de Rose.

— Celui-là, c'est bon ?

Rose fit un signe affirmatif. Le crabe la regarda férocement de ses petits yeux noirs et essaya de faire claquer ses pinces. Ses pattes arrière pédalaient dans l'air. Rose avala sa salive. Ça ressemblait à une araignée, mais en beaucoup, beaucoup plus gros.

— Pouvez-vous... pouvez-vous me l'emballer ? bredouilla-t-elle.

Rentrer à la maison avec un crabe en liberté dans son panier était au-dessus de ses forces. Elle avait l'impression qu'il risquait de sortir de là à n'importe quel moment pour s'en prendre aux passants.

Le jeune homme poussa un profond soupir et se mit à envelopper l'animal dans une grande feuille. Enfin, il lui tendit un paquet remuant. Rose lui présenta son panier. Même à travers le papier, il était hors de question qu'elle touche cette *chose*. Elle n'avait pas peur des souris ; aucune pensionnaire de St Bridget ne pouvait les craindre, car elles circulaient partout. Elle s'était même réveillée une nuit pour découvrir, assis sur son lit, un rat qui la regardait avec l'air de se demander si elle avait bon goût. Elle n'avait pas crié. Elle lui avait lancé un soulier, et il avait décampé. Toutes les orphelines apprenaient très vite à cacher leurs doigts de pied sous les couvertures bien bordées si elles voulaient qu'ils soient encore tous là au matin. Mais Rose détestait les créatures aux pattes trop nombreuses. N'importe quel animal en possédant plus de cinq lui faisait horreur. Ce crabe était à peu près l'équivalent de la plus grosse araignée qu'elle ait jamais vue et vingt autres par-dessus le marché.

En sortant de la poissonnerie où le jeune homme grommelait encore, elle lança à Bill un regard plein d'espoir, mais il sourit, narquois :

— Tu peux toujours rêver. Pas question que je me balade avec ce panier au bout du bras. Je serais ridicule. Allez, viens, continuons. Tu mettras le produit pour l'argenterie sur le crabe, ça l'empêchera de trop gigoter.

Rose le suivit en tenant le panier aussi loin d'elle que possible.

L'épicerie lui apparut comme un véritable palais débordant de richesses. Elle avait déjà été impressionnée par la quantité de nourriture dévorée chez Mr Fountain ; non seulement par les plats somptueux que concoctait Mrs Jones pour le maître de maison, mais aussi par les repas servis dans la cuisine et le plus souvent préparés par la fille d'office, Sarah. De la viande tous les jours ! Parfois deux fois par jour ! À tout instant, du thé, des gâteaux ! Sans parler des énormes morceaux de pain trempés dans la graisse que Bill semblait dévorer à chaque fois qu'elle le voyait...

Ce qui ne l'empêchait pas, d'ailleurs, de rester maigre comme un clou. Il devait se rattraper de toutes ses années de *jamais-tout-à-fait-assez* à l'orphelinat.

Cette boutique, quant à elle, était pleine à ras bord de nourriture présentée en gigantesques tas, en tours instables. Il y avait des sacs débordants, des piles de boîtes de conserve, d'énormes jambons accrochés aux poutres. Un essaim de jeunes gens couraient dans tous les sens et grimpaient sur des échelles étroites pour attraper des marchandises sur les étagères. On aurait dit un temple dédié à la nourriture. C'en était presque indécent.

Quand Rose eut écrasé le crabe sous la boîte de produit de nettoyage pour l'argenterie et le paquet de violettes cristallisées, Bill sortit son penny de la poche de son pantalon et la conduisit vers un petit comptoir. Derrière étaient alignés des bocaux luisants contenant des bonbons de toutes les couleurs. Tous deux furent accueillis par une jolie jeune fille en tablier à dentelle. Du moins était-elle jolie tant qu'elle ne souriait pas : après qu'elle les eut salués, Rose eut bien du mal à détacher son regard des chicots

noircis qui envahissaient sa bouche. Bill ne
sembla pas s'en apercevoir.

— Un penny de poudre acidulée, s'il vous
plaît !

— Mrs Jones te l'a interdit ! protesta Rose
en lui donnant un petit coup avec son panier.

— La verte, pas la rose ! précisa-t-il.
Contente, mademoiselle Je-sais-tout ?

— Je parie que ça va te rendre malade !

Il l'ignora. La vendeuse se tourna vers elle :

— Et pour vous, Miss ?

Rose essaya d'oublier ses dents et examina
la rangée de bocaux. Que choisir ?

— Caramels ? proposa la jeune fille.
Réglisses ? Pâtes de fruits ? Nougats ? Boules
d'anis ?

— Pas ça, Rose, c'est dégoûtant, dit fermement Bill.

Rose commençait presque à regretter
d'avoir un penny à dépenser. La vendeuse
s'impatientait, et Bill s'amusait de son indéci-
sion. Elle désigna le premier bocal venu :

— Qu'y a-t-il là-dedans ?

La jeune fille saisit le récipient, et Rose
poussa un cri de plaisir. Elle avait choisi au
hasard, mais ces bonbons étaient si jolis !
De forme triangulaire, à rayures multicolores

(roses et blanches, vertes et jaunes, violettes et rouges...), ils auraient pu sortir tout droit d'un conte de fées. Rose les voyait très bien étalés sur le lit d'une princesse.

— Ce sont des berlingots fourrés au chocolat. Vous en voulez ?

— Oh oui !

Extasiée, elle regarda la vendeuse verser ces bonbons semblables à des joyaux dans un petit sac en papier. En tendant son penny par-dessus le comptoir, elle repensa avec une pointe de culpabilité au jeune mendiant. Mais c'étaient les premiers bonbons de sa vie. Ne les méritait-elle pas ?

Ils prirent le chemin du retour. Bill plongeait avec délice ses doigts dans le sac de poudre ; sa livrée fut bientôt entièrement recouverte d'une fine poussière brillante. Rose, elle, suçait lentement un bonbon vert et doré qui lui rappelait le prince transformé en grenouille du conte de fées.

— Ça alors ! Le goût change ! s'exclama-t-elle au bout d'un moment.

— C'est le chocolat, Rose ! Ils sont fourrés, tu te rappelles ?

Mais Rose ne l'écoutait plus. Elle s'était plantée devant une vitrine. Quand Bill, qui venait de dire qu'elle aurait mérité d'être enlevée par des marchands d'esclaves tant elle était bête, se rendit compte qu'il avait parlé tout seul, il revint en arrière.

— Où étais-tu ? J'ai failli te perdre ! Allez, viens. C'est la dernière fois que je sors avec toi ; j'ai l'impression d'être un chien de berger !

Mais Rose était collée au sol. Presque littéralement : lorsqu'il tira sur sa manche, elle oscilla à peine.

— Regarde !

Elle montrait quelque chose dans la vitrine. *Une robe, sûrement*, se dit Bill. Mais lorsqu'il se tourna à son tour, il découvrit une boutique de jouets. Une énorme poupée en manteau de fourrure les regardait de haut. Elle avait des cascades de boucles blondes ; Bill devina qu'il s'agissait de vrais cheveux. Sa mère avait vendu les siens, une fois, mais on ne l'avait pas payée beaucoup, car ils étaient simplement châtains et non auburn, comme le voulait la mode. Il se souvenait combien il avait été horrifié en voyant sa tête couverte de touffes courtes et inégales : on aurait dit un garçon.

La poupée tenait dans ses mains gantées une laisse au bout de laquelle se trouvait un magnifique caniche frisé miniature. Elle était entourée de meubles conçus pour sa taille, dont une petite armoire regorgeant de vêtements en soie et en dentelle.

— J'imagine que c'est la première fois que tu vois une poupée. Elle est grande, hein ?

— Non, j'en avais déjà vu, le corrigea Rose. Miss Isabella en a une presque pareille. Mais celle-là, elle bouge ! Je te jure que c'est vrai, Bill, dit-elle en le regardant d'un air suppliant. Je ne mens pas. Elle m'a saluée de la main ! C'est de la magie, dis ?

Rose se tourna à nouveau vers la poupée et lui agrippa le bras.

— Oh ! Vois donc !

La poupée souleva un bras raide comme pour dire bonjour, et le petit chien lança un étrange aboiement métallique.

Bill examina les côtés du jouet, nez collé à la vitre.

— C'est bien ce qui me semblait. Un automate. Regarde, Rose, on aperçoit la clef.

Rose s'approcha à son tour. Il avait raison. Du dos de la figurine dépassait une grosse clef argentée. La bouche de la poupée s'ouvrit légèrement, elle prononça « Ma-ma ! », puis la clef fit un quart de tour.

— Il suffit de la remonter, et elle fait ça aussi souvent qu'on veut, expliqua Bill. Malin, hein ?

— Je croyais que c'était un sortilège, fit Rose, déçue.

Elle s'était imaginé une poupée enchantée, assise à la petite table de la vitrine, buvant du thé dans sa jolie tasse à fleurs, comme une fillette de taille réduite.

— Ce serait une poupée de princesse, alors ! Telle qu'elle est, elle coûte déjà probablement dix années de nos gages. Si elle était enchantée, il faudrait un siècle pour la payer ! À quoi crois-tu que serve la magie, Rose ? On ne la gaspille pas pour des poupées. C'est trop rare. Trop cher. Ce n'est pas parce que Mr Fountain peut faire pleuvoir des pétales d'un simple claquement de doigts que tu dois t'imaginer qu'on en trouve partout !

— C'est vrai, il peut faire ça ?

— Seulement si on lui offre une rançon de roi en échange... La magie est une chose sérieuse, tu sais !

Rose comprenait ce que disait Bill, mais elle refusait de l'admettre. Il y avait tant de richesses dans le monde ! D'ailleurs, la seule fois où elle avait vu quelque chose de magique, c'était quand des images étaient apparues sur la baignoire, à St Bridget. C'était tout sauf sérieux. Les alchimistes ne pouvaient pas se contenter de fabriquer de l'or : ç'aurait été trop triste !

Bill devina ses pensées.

— S'il était si facile de faire de la magie, Rose, tu crois qu'on se fatiguerait à polir l'argenterie toutes les semaines ? Non, on l'enchanterait pour qu'elle reste brillante. Il y aurait aussi des feux qui s'allument sur commande, des assiettes qui se lavent toutes seules... Les gens coûtent moins cher, Rose, déclara Bill en secouant la tête. *Nous* coûtons moins cher.

— Tu n'as jamais rien vu de magique, alors ? Il n'y en a jamais dans les magasins, par exemple ?

Il haussa les épaules.

— Oh, quelquefois, un petit truc ici ou là. Mais rien que de très simple. Aucun magasin ne pourrait se permettre les services de Mr Fountain.

Malgré tout, Rose s'accrocha à ce faible espoir. Elle n'avait encore jamais rien vu de complètement extraordinaire à la maison : tous les sortilèges se déroulaient dans le laboratoire, et elle n'allait là-bas que pour faire le ménage. Or, la magie la fascinait. Elle espérait ne jamais refaire naître des images sur des surfaces brillantes, mais elle aurait vraiment aimé voir quelqu'un d'autre exécuter un véritable charme. Peut-être même le toucher. *Quel effet ça fait, de toucher de la magie ?* se demanda-t-elle en suivant Bill dans la rue. *A-t-on l'impression d'avoir des étincelles qui vous jaillissaient des doigts? L'impression de marcher dans de la mélasse ?* Pourquoi pensait-elle à de la mélasse ? Quelle drôle d'idée !

— Rose, attention ! Le cheval !

Rose se retourna, horrifiée, soudain consciente qu'elle s'était trop approchée du bord du trottoir. Un énorme cheval blanc monté par un monsieur au chapeau encore plus haut que celui de Bill fonçait sur elle.

— Écarte-toi de mon chemin, morveuse ! cria l'homme en levant son fouet.

Le coup l'atteignit en plein visage. Elle poussa un cri et laissa tomber le panier. Bill la tira en arrière avec force jurons. Malgré la situation, Rose fut impressionnée par son vocabulaire.

Soudain, elle se rendit compte que les imprécations n'étaient pas toutes proférées par Bill. L'homme qui l'avait frappée criait lui aussi, couvert de mélasse.

— C'est toi qui as fait ça ? chuchota Bill, ahuri.

— Je ne sais pas ! Pas exprès, en tout cas !

En dépit de sa douleur à la joue, elle ne put retenir un sourire : le cheval avait l'air particulièrement ridicule et désemparé avec son museau dégoulinant de liquide poisseux.

— C'est toi qui m'as jeté ce truc à la figure, sale gosse ?

Penché sur sa selle, l'homme, furieux, essayait d'attraper Rose. Elle fit un bond en arrière.

— Viens vite !

Bill ramassa le panier au vol – le crabe avait tenté d'en profiter pour s'échapper, l'une de ses pinces avait crevé le papier – et tira Rose dans une allée.

— Où allons-nous ? haleta Rose en courant derrière lui.

— Je ne sais pas. Loin de lui, en tout cas ! Franchement, Rose, j'avais bien remarqué que tu n'étais pas comme les autres, mais je ne pensais pas que tu faisais partie de la clique !

— Mais non ! gémit Rose. Je n'ai rien à voir avec la magie ! Il m'arrive parfois des choses bizarres, mais ce n'est pas ma faute !

Bill ralentit.

— Je ne crois pas qu'il nous ait suivis, dit-il en riant doucement, presque malgré lui. On aurait dit le Monstre du Marécage Noir !

De toute évidence, Bill et Freddy avaient des lectures similaires, même s'ils étaient en tout point opposés sur tout le reste.

— Je ne l'ai vraiment pas fait exprès, insista-t-elle. Je suis peut-être maudite ? Ça ne m'arrive pas très souvent, je te le jure !

— J'espère bien que non, parce que tu risques de gros ennuis !

Il la saisit par le menton et tourna son visage d'un côté, puis de l'autre.

— C'est bon, il ne t'a pas fait de marque.

Elle fut soulagée de voir que malgré tout, il n'aurait pas voulu qu'elle soit blessée.

Ils rentrèrent en silence à la maison. Bill ne cessait de lui lancer des regards inquiets, voire méfiants. Rose était trop absorbée pour admirer les magnifiques hôtels particuliers et jardins devant lesquels ils passaient. Elle n'avait qu'une pensée : tout s'était déroulé exactement comme elle le craignait. Bill avait découvert son secret, et il la détestait. Pour lui, elle faisait partie de « la clique ». Mais elle ne voulait *pas* en faire partie ! Trouvait-il qu'elle ressemblait à Freddy, ce pleutre arrogant, ou à Miss Isabella, l'horrible enfant gâtée qui retournait la maison sens dessus dessous avec ses caprices ? Elle n'avait rien de commun avec eux ! Elle se promit de se faufiler dès que possible dans le laboratoire afin d'étudier le livre de Prendergast. Il fallait qu'elle apprenne comment se débarrasser de cette stupide magie qui allait lui gâcher l'existence.

Mrs Jones approuva le choix du crabe et accepta un berlingot avec plaisir, puis elle fit sortir Bill dans le jardin et brossa sa veste alors qu'il la portait encore sur le dos. Heureusement, cette fois, il ne fut pas malade. Ce traitement dut changer les idées de Bill ; en tout cas, il ne dit rien à personne de ce qui s'était passé. Mais pendant tout le reste de la journée, Rose le surprit à de nombreuses reprises en train de la regarder pensivement. Elle finit par lui répondre par des grimaces : c'était la chose la moins magique à laquelle elle pouvait songer.

6

Miss Bridges fit irruption dans l'arrière-cuisine, assez agitée. Rose la regarda avec surprise. Mrs Jones était souvent fébrile, surtout quand Bill était dans les parages, mais Miss Bridges conservait généralement un calme majestueux.

— Ah, Rose, tu es là !

La gouvernante lui sourit avec bienveillance, et Rose posa aussitôt la goutte de cristal qu'elle était en train d'astiquer. Miss Bridges avait annoncé ce matin-là que puisque la domesticité était désormais au complet, le moment était venu de décrocher le lustre afin de le nettoyer. Tous les serviteurs s'étaient réunis dans l'imposant hall d'entrée pour regarder Bill grimper sur l'escabeau. Cette besogne était sans nul doute de celles qu'un bon sortilège aurait considérablement facilitées. Bill avait dû se mettre sur la pointe des pieds sur la plus haute marche. Rose avait fermé les yeux : elle ne pouvait pas voir ça. Et s'il se faisait écraser par la lampe ?

— Tout va bien ? avait-elle chuchoté à Susan. Il ne va pas basculer, hein ?

Susan avait reniflé avec mépris :

— Pourquoi t'inquiètes-tu pour ce sale petit crapaud ? Tu as le béguin pour lui, c'est ça ?

— Pas du tout ! s'était exclamée Rose en rouvrant alors les yeux. Je n'ai pas envie qu'il tombe, c'est tout. Si le lustre se casse en mille morceaux, c'est moi qui vais devoir balayer, pas vrai ?

En effet, elle avait vite découvert que Susan avait le chic de disparaître chaque fois que se présentait une corvée particulièrement pénible.

Susan lui avait répondu par un simple rictus : Miss Bridges les regardait. Mais dès que la gouvernante s'était retournée pour donner d'autres indications à Bill, elle avait pincé méchamment le bras de Rose :

— Il va falloir que tu apprennes à respecter tes aînés, gamine !

Avec un glapissement de douleur, Rose avait allongé mentalement la liste des vengeances qu'elle comptait mettre au point à l'attention de Susan. Elle avait vu réaliser toutes sortes de mauvais tours à l'orphelinat, mais elle voulait d'abord être parfaitement intégrée dans son nouvel emploi avant de prendre le moindre risque.

Un cri de Bill lui avait fait soudain s'enfoncer les ongles dans la paume des mains.

— Faites qu'il ne tombe pas, s'il vous plaît ! avait-elle prié à voix basse en fermant de nouveau les yeux.

— Oh !

Susan avait poussé une exclamation de surprise, voire de déception. Il n'y avait eu aucun fracas de verre brisé, ce qui était sûrement bon signe. Trop inquiète pour garder les yeux clos, Rose regarda ce qui se passait.

Bill était debout en bas de l'escabeau, le lustre dans les bras, soulagé, bien qu'un peu surpris :

— Il est beaucoup plus léger qu'il n'en a l'air !

Soupçonneuse, Rose avait regardé le lustre qui scintillait innocemment dans les rayons du soleil. Les gouttes de cristal faisaient danser des petites taches de lumières sur les colonnes en marbre. La pièce entière étincelait. C'était presque... magique.

Bill avait-il simplement eu de la chance ? Impossible à dire. Tandis que les serviteurs redescendaient l'un après l'autre l'escalier de service, elle avait jeté un dernier regard par-dessus son épaule. Était-ce son imagination, ou entendait-elle la grande maison respirer ?

Rose revint soudain à elle.

— Vous avez besoin de moi, Miss ? demanda-t-elle d'une voix anxieuse à Miss Bridges.

Avait-elle fait quelque chose de mal ? Elle se prit à souhaiter que la demeure de Mr Fountain eût son règlement officiel, comme l'orphelinat, et que celui-ci fût lu à voix haute chaque semaine, pour que chacun sût ce qui était autorisé ou interdit.

— Mr Fountain a le temps de te voir, Rose.

La gouvernante avait dit ça comme on exprime un désir royal, c'est-à-dire un ordre. Rose baissa les yeux vers son tablier marron.

— Non, non, le blanc, Rose. Vite !

Rose enfila à toute allure son tablier neuf. C'était la première fois qu'elle le portait. Il n'était pas aussi élégant que celui de Susan (sa convoitise envers les beaux atours de Susan était un péché, elle en était consciente) mais il avait été amidonné et repassé, et était orné d'un grand nœud dans le dos qu'elle admira en se tordant le cou.

Miss Bridges l'examina de la tête aux pieds et lui rajusta son ruban.

— Ça ira. Viens vite. Il ne faut pas faire attendre le maître.

— Serait-il en colère ? s'inquiéta Rose en courant derrière elle.

Malgré son inquiétude, elle se demanda si Miss Bridges ne cachait pas des roues plutôt que des jambes sous sa longue jupe noire. Elle avançait si vite, et d'un pas si égal !

Miss Bridges sourit par dessus son épaule :

— Non, pas du tout. Mais il est très occupé, Rose. J'ai eu la chance de l'attraper au bon moment et j'en ai profité pour lui parler de toi. Mais si nous attendons trop longtemps, il... il risque de ne plus avoir la tête à ça... C'est un homme *très* important, tu comprends ?

Le bureau de Mr Fountain faisait partie des pièces du rez-de-chaussée, celles dont s'occupait Susan, et Rose n'y avait encore jamais mis les pieds. Yeux baissés, elle n'en vit pas grand-chose à part un magnifique tapis tissé main où étaient représentés des animaux terrestres, des oiseaux, et des créatures qui ressemblaient aux deux à la fois.

Une voix douce, ronronnante, la fit sursauter :

— Voici donc... heu...

— Rose, Monsieur, compléta Miss Bridges en la poussant en avant. Elle vient de St Bridget. Elle est ici depuis deux jours, et je suis sûre qu'elle nous conviendra très bien.

Rose fit la révérence :

— Je suis très heureuse d'être ici, Monsieur.

Elle ne savait pas très bien quoi dire d'autre, et cela lui sembla résumer correctement sa pensée.

Mr Fountain se pencha vers elle, au-dessus d'un énorme bureau en marbre noir où étaient alignés des instruments de cuivre tictaquant ou oscillant comme des pendules. Le marbre était décoré de gravures argentées ; on aurait dit la pierre tombale d'un défunt prétentieux.

— Tu as tout à fait raison. (La voix était désormais plus concentrée, moins ronronnante ; le ton intéressé et non purement poli.)

Je me suis souvent fait la même réflexion. Ce bureau appartenait à mon premier professeur, un vrai m'as-tu-vu.

Rose leva timidement les yeux. Elle était pourtant certaine de ne pas avoir fait la comparaison à voix haute. Mr Fountain abaissa une paupière en une amorce de clin d'œil. Miss Bridges ne le remarqua pas : elle était en train d'examiner un bibelot poussiéreux d'un air qui ne promettait rien de bon pour Susan.

— On n'a pas trop froid en écrivant sur du marbre ? demanda Rose.

Oubliant sa réserve, elle posa un doigt sur la surface noire, mais le retira aussitôt :

— Aïe ! Je me suis brûlée !

— Je te l'avais bien dit : un vrai m'as-tu-vu. Mon prédécesseur l'a enchanté pour prévenir toute tentative d'espionnage, ce fléau de notre société. Les vols de sortilèges se multiplient actuellement. Or, seul le propriétaire de ce bureau peut le toucher, et il ne peut le transmettre à quelqu'un d'autre que par héritage, sur son lit de mort. Disposition fâcheuse, car elle signifie que je ne peux pas m'en débarrasser. Je le laisserai probablement à Freddy.

Rose osa enfin regarder son maître bien en face. Sa moustache, délivrée de son filet de nuit, dépassait de ses oreilles en formant de chaque côté une boucle brune et luisante assez ridicule. Mais au-dessus brillaient des yeux vifs et curieux.

— Comment Susan fait-elle pour le dépoussiérer, alors ? demanda-t-elle.

— Heu... hésita-t-il, décontenancé. Je ne crois pas qu'elle le fasse. Je n'y avais jamais pensé. Je passe parfois mon mouchoir dessus.

— Il est sale, fit remarquer Rose.

Elle entendit Miss Bridges retenir sa respiration, et se rendit compte que même en l'absence d'un règlement, elle aurait dû savoir qu'il valait mieux éviter de faire des reproches à son maître au sujet de l'état de ses meubles. Pourtant, c'était vrai. Après une autre révérence, elle fut hâtivement poussée dehors par Miss Bridges.

— Je garderai un œil sur toi, jeune fille, dit la voix de nouveau ronronnante de Mr Fountain dans son dos.

En regardant derrière elle, Rose vit qu'il avait posé les pieds sur le marbre enchanté.

Elle regrettait de ne pas avoir été désignée pour nettoyer le bureau. Elle était certaine de s'en tirer mieux que Susan : la table n'était pas la seule chose couverte de poussière. Elle avait envie de regarder ces instruments de plus près, et d'examiner le tapis en détail. De le brosser, aussi, pour faire disparaître les traces de boue. Peut-être était-il possible de nettoyer le bureau en utilisant un plumeau. À moins que le sortilège n'enflamme les plumes... En fin de compte, la magie n'était pas aussi formidable qu'on le disait, si personne ne songeait à ses conséquences pratiques. À moins que la saleté ne fût considérée comme un inconvénient négligeable. Mais si la poussière devenait gênante ? Et si un magicien ensorcelait des particules volantes sans le faire exprès ? L'enchantement destiné au bureau de Mr Fountain aurait pu prendre la poussière pour objet. Celle-ci se serait alors mise à brûler tout ce qui n'était pas son propriétaire. Elle se serait envolée, elle aurait pu se poser sur la peau de quelqu'un ! Non, une chose pareille ne pouvait certainement pas arriver. Quoique... Rose repensa à la chute de Mr Freddy dans l'escalier et au vase Ming. De la poussière enchantée ne semblait pas si improbable. Elle décida d'être très vigilante, à l'avenir, quand elle devrait épousseter quelque chose.

De toute façon, le nettoyage du bureau de Mr Fountain était strictement réservé à la première femme de chambre. Même si Susan était paresseuse, elle n'aurait pas supporté que Rose suggérât de la relayer. Elle préférait obliger Rose à faire son travail à sa place, pour ensuite prendre un air angélique et laisser croire qu'elle avait tout fait elle-même.

* * *

— Mettez vos gants ! Très bien, Rose. Fais attention à ne pas les salir. William Sands, où sont tes gants ?

— Je ne sais pas, Miss.

Bill avait pris un air idiot, mais au bout de presque une semaine, Rose le connaissait assez bien pour comprendre qu'il faisait semblant. Bill savait parfaitement où étaient ses gants ; il avait juste envie de faire marcher Miss Bridges.

— Ils sont dans ses poches, répondit Susan de sa voix de sainte-nitouche.

Elle portait un manteau noir très chic qui avait dû lui coûter plusieurs mois de gages et un petit chapeau noir décoré de violettes en velours. Rose fut ravie de constater que les violettes lui faisaient un teint cireux, puis eut honte de sa mesquinerie – mais pas au point de cesser de s'en réjouir.

— Enfile-les ! ordonna Miss Bridges. Je veux que tous mes gens soient impeccables, à l'église. Je ne tolérerai pas d'aspect négligé.

— Elle est en compétition avec Mrs Lark, la gouvernante de la maison d'en face, chuchota Sarah, la fille d'office, à l'oreille de Rose. Bien sûr, elle ne l'avouerait pour rien au monde...

— Oh, je vois !

Cela expliquait tout : Rose n'avait jamais vu Miss Bridges aussi énervée.

Ils se rassemblèrent au bas des marches et attendirent que les maîtres de maison sortent par la porte principale. Rose vit un autre groupe, très similaire, se former du côté opposé de la petite place. Une courte femme dodue en manteau violet donnait une gifle à un garçon engoncé dans une livrée encore plus élaborée que celle de Bill pour avoir caché un illustré dans une poche secrète située sous la queue de sa veste. Miss Bridges se permit un petit sourire condescendant et salua de la main. Mrs Lark fit mine de ne pas la voir.

— J'espère que le sermon sera court, aujourd'hui, dit Bill en tirant sur ses gants. Dimanche dernier, j'ai failli m'endormir.

— Pourquoi ne regardes-tu pas les fenêtres ? suggéra Sarah. C'est ce que je fais. Ça passe le temps.

Rose se sentit perplexe. Regarder par la fenêtre ? Sarah s'était montrée gentille envers elle dès le début, à tel point que Rose avait presque envie d'être fille d'office, elle aussi. Mais Sarah passait le plus clair de son temps devant l'évier de l'arrière-cuisine, entourée de piles de vaisselle sale. La peau de ses mains étaient rougie et craquelée par l'eau chaude, et elle ne sortait presque jamais du sous-sol. Non, il valait bien mieux être femme de chambre, même s'il fallait supporter Susan. Toutefois, malgré toute son affection pour Sarah, celle-ci la décevait un peu. Comment pouvait-elle trouver intéressant de regarder par la fenêtre de l'église ? On ne voyait pro- bablement que le ciel et quelques arbres. Peut-être que ça la changeait de l'eau et des casseroles.

La porte principale s'ouvrit, et Mr Fountain fit son apparition, en chapeau haut de forme. Les enfants le suivaient, Freddy dans un costume noir en velours orné d'un col en dentelle, et Isabella parée d'une robe blanche et d'un court manteau de fourrure. Elle ressemblait de manière frappante à la poupée que Rose avait admirée dans la vitrine du marchand de jouets.

— Oh, non ! murmura Susan. Je déteste cette robe. Elle est impossible à repasser. Et bien sûr, c'est celle-là qu'elle choisit ! Il va aussi falloir que j'amidonne le col de Freddy. Mrs Trump est nulle en empesage.

Bill rit sous cape, s'attirant les foudres de Susan :

— Toi, fais attention ! Tu sais, Miss Bridges adore les dentelles. Je pense qu'elle serait d'accord qu'un petit col doré améliorerait grandement ta livrée du dimanche. Avec un tel ornement, Ernest d'en face n'aurait qu'à bien se tenir. Je devrais peut-être le lui suggérer...

— Tu ne ferais pas une chose pareille ! s'écria Bill, horrifié.

— Tu crois que je ne sais pas qui a laissé cette souris morte dans le buffet de la salle à manger ? cracha Susan.

Bill s'efforça d'avoir l'air innocent, mais il finit par éclater de rire.

* * *

L'église était un véritable palais. Elle était entourée d'une forêt de monuments funéraires, dont plusieurs en marbre noir. Inconsciemment, Rose jeta un coup d'œil à Mr Fountain, et il lui rendit son regard, amusé. Rougissante, elle baissa les yeux sur les tombes. Plus ils avançaient dans le cimetière, plus les pierres tombales étaient hautes et recherchées, avec des inscriptions dorées et des gravures. Sur le flanc de l'église se trouvait un groupe de mausolées aux portes cadenassées aussi grands que des temples, avec des colonnes dont les chapiteaux étaient sculptés de feuilles. Les constructions étaient couvertes de bas-reliefs représentant des gens dans des tenues qui semblaient presque inspirées des temps bibliques tant elles étaient passées de mode.

Une main la tira brusquement, et Rose sursauta.

— Avance ! rugit Susan. Je suis censée te surveiller, sale gamine !

L'église ne ressemblait en rien à celle qui se trouvait à côté de l'orphelinat. Cette dernière, dont les murs étaient blancs et unis, n'abritait que des bancs en bois et un unique vitrail représentant saint Jean et l'aigle – ce dernier ayant l'air sur le point de lui arracher l'oreille d'un coup de bec.

Ici, toutes les fenêtres racontaient avec des couleurs vives la vie des saints. Les rayons du soleil qui passaient à travers les carreaux faisaient cligner des yeux et projetaient des milliers de taches multicolores et étincelantes comme des pierres précieuses sur le sol en marbre. Les domestiques montèrent l'un après l'autre un escalier étroit qui menait à une travée conduisant au fond de l'église. Sarah lui désigna une fenêtre :

— Celle-là, c'est ma préférée. *Moïse dans son panier.* Regarde !

L'image était jolie, avec ses joncs qui se courbaient sous la brise, mais Rose n'en voyait pas vraiment l'intérêt. Elle dut toutefois reconnaître que les joncs avaient été peints avec beaucoup d'habileté : on avait presque l'impression qu'ils bougeaient...

Ils bougeaient. Et des rides se formaient à la surface de l'eau. Et le bébé agitait un petit poing fermé au-dessus de son panier. Rose retint sa respiration. C'était comme ses propres images. Voilà de quoi parlait Sarah quand elle disait regarder les fenêtres !

— C'est de la magie ? chuchota-t-elle.

Sarah lui répondit à l'oreille, en vérifiant que Miss Bridges ne les observait pas :

— Bien sûr. Cette église est fréquentée par de nombreuses familles de magiciens. Ils ont fait don de sortilèges. Mr Fountain a fait le *Moïse ouvrant la mer Rouge*, au-dessus de l'autel.

Elle désigna le vitrail du menton. C'était le plus grand de toute l'église. L'eau reculait, s'écartait en deux murs écumants pour laisser passer les Juifs (parmi lesquels se trouvait une petite fille ressemblant beaucoup à Isabella) avant de retomber sur les soldats égyptiens. Un miroitement, puis la scène revenait à son point de départ. Ce n'était donc pas exactement comme les images sur la baignoire ; juste un bout d'histoire qui se répétait à l'infini. Mais il semblait bien que ce qu'elle pouvait faire était du même ordre.

La messe était longue, très longue. Le pasteur de St John avait eu l'habitude d'adapter ses sermons à ses ouailles, principalement constituées des enfants de St Bridget et de St Bartholomew. Ici, en revanche, l'église était pleine de gens de la haute société, de magiciens, d'intellectuels, qui réclamaient un office long, imposant, avec des processions, des chœurs, des encensoirs. L'odeur de l'encens endormait Rose, et les fenêtres animées ne facilitaient pas la concentration. À l'orphelinat, les pensionnaires étaient interrogées sur le contenu du sermon ; ayant questionné Bill et Sarah discrètement, Rose fut soulagée d'apprendre qu'il n'en allait pas de même chez Mr Fountain.

Elle demeura assise bien droite, mais se détendit intérieurement et s'autorisa à repenser à la semaine qui venait de s'écouler. L'aversion de Miss Bridges envers l'oisiveté ainsi que l'activité incessante de la cuisine rendaient toute méditation impossible. Et le soir, elle était bien trop fatiguée pour réfléchir : elle parvenait à peine à se traîner tout en haut des escaliers.

Rêvassant, elle n'entendit que des fragments des prières sans fin lentement récitées par la voix soporifique du prêtre :

— Prions pour Sa Majesté le roi Albert, pour la famille royale, pour nos chères princesses...

— Prions pour la santé de notre sœur, Jane Wetherly...

— Prions pour Emmeline Chambers et Lucinda Mayne, disparues...

Rose se demanda paresseusement si Emmeline et Lucinda s'étaient enrôlées dans un cirque, comme Jack, l'ami de Bill. Oh, que devait-elle faire au sujet de cette maudite magie ? C'était déjà bien assez grave de faire apparaître des images sur des baignoires, mais au moins, personne n'était au courant. L'épisode de la mélasse, lui, aurait pu se solder par un désastre. Et si le cavalier lui avait mis la main au collet et l'avait traînée jusqu'à la maison pour exiger une explication ? Elle aurait été renvoyée à l'orphelinat séance tenante.

Il fallait absolument qu'elle s'en débarrasse, d'une manière ou d'une autre. Si elle ne voulait pas de ses pouvoirs, elle pouvait sûrement s'en défaire. Mais pouvait-on tout simplement les cacher sous un lit, ou dans une boîte ? Rose soupira. Elle savait bien que ce n'était pas aussi simple. Elle avait l'impression que les images constituaient une partie d'elle-même ; quant à cette histoire de mélasse, c'était arrivé tout seul. Elle l'avait fait sans en avoir l'intention. Comment pouvait-elle extraire la magie de son corps si elle ne savait même pas où elle logeait, ni d'où elle venait ? *Faites que le livre de Prendergast puisse m'aider !* pria-t-elle ardemment.

Quand la messe se termina enfin, les personnes de qualités s'attardèrent pour bavarder entre elles. Miss Bridges échangea des compliments hautains avec Mrs Lark, la gouvernante d'en face, et les servantes se réunirent pour se moquer des chapeaux les plus affreux.

— Où est passée Mrs Jones ? demanda Rose à Sarah. Est-elle rentrée préparer le déjeuner ?

— Non, non, le dimanche, on sert un repas froid. Nous ne sommes pas censés travailler, tu sais. Pas travailler ! Ha ! Mais le plus gros de l'ouvrage est fait à l'avance, au moins. (Elle examina le cimetière.) C'est bien ce qui me semblait : tiens, Rose, elle est là-bas.

Miss Bridges suivit la direction de leurs regards.

— Rose, peux-tu aller chercher Mrs Jones, s'il te plaît ? Nous devons partir. Excuse-moi auprès d'elle, je te prie.

Rose acquiesça et partit au galop. Au bout de quelques mètres, réalisant qu'il était probablement sacrilège de courir dans un cimetière, elle ralentit jusqu'à une marche rapide. Elle réfléchissait. Que faisait Mrs Jones ? Et pourquoi Miss Bridges s'excusait-elle ?

Elle comprit dès qu'elle arriva auprès de la cuisinière. La grosse femme était debout devant une petite sépulture située tout au fond du cimetière. Aucun caveau ne la recouvrait, juste une stèle ordinaire, sur laquelle était gravé :

MARIA ROSE JONES
partie trop tôt, âgée de deux mois

L'inscription était courte, mais les tailleurs de pierre étaient probablement payés à la lettre.

— Oh, Rose, on t'a envoyée me chercher ? Je suis désolée.

— Mrs Jones... est-ce que... c'était votre bébé ? chuchota Rose.

Mrs Jones s'essuya les yeux et reprit le chemin du retour.

— Oui, dit-elle en s'essuyant les yeux. Elle aurait eu ton âge. C'est le choléra qui l'a emportée. Une semaine plus tard, ce fut le tour de son père. Je n'avais pas de quoi acheter une autre stèle ; son nom est derrière celle du bébé. Après, j'ai repris du service. Je ne savais pas quoi faire d'autre. Heureusement, le maître a accepté de me redonner ma place.

— Oh.

Rose aurait voulu dire autre chose, mais rien ne lui venait.

— Ça me rappelle... (Mrs Jones se mit à fouiller dans son réticule.) Où est passé ce satané... Oups, pardon, Seigneur... Ah, le voilà !

Elle sortit de son sac une étrange petite pochette qui dégageait une forte odeur de romarin et autres aromates.

— Tiens, Rose, prends ça. Je n'aime pas tellement ce genre de choses – comme je le dis toujours, la magie ne vaut rien pour les gens comme nous – mais nécessité fait loi. C'est quelqu'un qui s'y connaît qui me l'a donné. Prends-en soin, surtout.

Rose saisit avec précaution le sachet qui pendait au bout d'une cordelette, probablement afin d'être porté autour du cou.

— Qu'est-ce que c'est ?

— Une amulette, bien sûr. Ah, j'oubliais que tu ne connais rien à la magie ! Tant mieux, Rose, tant mieux pour toi. C'est une protection, vois-tu. Cache-le : j'aperçois d'ici Miss Bridges en train de tapoter du pied. Mais si tu étais enlevée en faisant des courses, je ne me le pardonnerais jamais. C'est encore arrivé à deux fillettes, tu as entendu ? Vraiment, je ne sais pas ce que nous allons devenir. Et tous ces magiciens qui écoutaient le prêtre, que font-ils ? Rien du tout, voilà ce qu'ils font !

Obéissante, Rose fourra l'amulette dans la poche de son manteau. Mais elle restait sceptique. Elle savait désormais à quoi ressemblait la magie. À la maison, il y avait des choses qui chatoyaient, ou qu'elle entendait ronronner. Elle était presque certaine que ce sachet ne contenait rien d'autre que des herbes.

— Qu'est-il arrivé à ces deux filles, Mrs Jones ?

— Oh, elles ont dû être enlevées par des marchands d'esclaves. Des pirates assoiffés de sang, naviguant sur le fleuve au cœur de la nuit...

Mrs Jones frissonna théâtralement. Cette idée lui plaisait visiblement beaucoup.

7

Une cloche sonna frénétiquement dans un coin de la cuisine, et tous les présents levèrent la tête avec irritation. On était au milieu de la matinée, un lundi matin, jour où on lavait le linge or la lessiveuse refusait de s'allumer. Tout le monde était de mauvaise humeur, et personne n'avait envie d'avoir affaire aux maîtres de maison.

Susan tendit le cou pour regarder les sonnettes.

— Le laboratoire. Mr Fountain est en train de donner une leçon à Freddy.

— Dieu sait ce qu'ils ont encore fait ! gémit Miss Bridges. Va voir, Rose. Bill, sors de là-dessous si tu ne veux pas te brûler les oreilles !

Rose grimpa les marches deux à deux. Le timbre résonnait encore, pressant, mécontent, comme une voix qui l'aurait houspillée pour qu'elle aille plus vite. Elle frappa à la porte et entra rapidement avec une révérence. Mr Fountain se tenait au milieu de la pièce, furieux. Il était entouré de verre brisé.

— Ah, enfin ! Rose, balaie-moi tout ça, veux-tu ? Quant à toi, petit imbécile, estime-toi heureux que je ne t'oblige pas à le faire toi-même ! Je te dis de *m'écouter*...

Rose sortit sans faire de bruit et courut chercher la balayette à la cuisine.

— Ils ont cassé du verre, expliqua-t-elle à Miss Bridges. Il y en a vraiment beaucoup. Ça va prendre du temps.

Miss Bridges, l'air exaspéré, se contenta de lui faire signe d'y aller.

— Comment ça, un nid de souris dans la lessiveuse ? C'est inimaginable ! Nous avons des pièges, non ? Et où est ce maudit chat quand on a besoin de lui ?

Rose sourit discrètement. Dans un tel moment, même ramasser des éclats de verre valait mieux que rester dans la cuisine.

Elle retourna au laboratoire et entra en silence par la porte encore ouverte. Mr Fountain avait repris sa leçon. Freddy et lui étaient debout devant la grande table, penchés sur l'assemblage d'alambics et tubes reliés entre eux. Inquiète, Rose constata qu'ils se tenaient juste au milieu du verre brisé. Même avec les meilleures chaussures du monde (et elle ne doutait pas que leurs chaussures fussent excellentes), ils pouvaient facilement se couper. Elle était sur le point de le leur signaler, avec déférence, quand elle remarqua qu'en fait leurs pieds n'étaient pas en contact avec le sol. Leurs semelles flottaient quelques centimètres au-dessus des débris. Aucun des deux ne semblait y songer : ils ne regardaient même pas leurs pieds. Mr Fountain expliquait quelque chose à Freddy, et le garçon fixait les tubes de si près que son nez les touchait presque.

— Tu vois ? Là, regarde ! (Mr Fountain lui désignait quelque chose.) Tu l'as vu ?

— Non, Monsieur. Je suis désolé. C'était trop rapide.

Mr Fountain soupira, exaspéré.

— Recommençons...

Rose se mit à balayer, avec précaution. Elle était consciente que ces éclats étaient le fruit d'une expérience ratée, et n'était pas certaine de pouvoir les toucher sans danger. Ne risquait-elle pas d'être changée en quelque chose, par exemple en ce que Freddy n'arrivait pas à voir ?

Quand elle s'approcha, Freddy et Mr Fountain s'élevèrent de quelques centimètres supplémentaires pour lui permettre de nettoyer sous leurs pieds. Elle les remercia d'un murmure. Enfin, les derniers morceaux de verre allèrent rejoindre les autres dans le papier journal qu'elle avait apporté. Elle les empaqueta, puis se redressa avec une grimace, endolorie d'être restée courbée si longtemps.

— Tu le vois, maintenant ? demanda Mr Fountain en se posant à nouveau sur le sol avec légèreté.

— Je... je crois...

— Oh ! s'écria Rose.

Elle venait de découvrir ce qui les occupait. À l'intérieur de l'un des tubes flottait une étrange brume argentée, tremblotante, animée de pulsations. C'était magnifique. Et cette brume l'avait entendue, car elle glissa doucement dans les conduits jusqu'au point le plus proche de Rose pour la regarder. Elle n'avait pas d'yeux, mais Rose était certaine qu'elle la regardait.

Rose prit soudain conscience que la brume n'était pas la seule à la dévisager.

Mr Fountain et Freddy avaient les yeux fixés sur elle. Ceux de Mr Fountain dénotaient un grand intérêt, alors que ceux de Freddy disparaissaient presque sous le froncement furieux de ses sourcils pâles. S'il pouvait à peine distinguer la brume et que la première servante venue tombait en arrêt devant celle-ci comme si elle lui avait agité un drapeau rouge sous le nez, il avait en effet de bonnes raisons d'être agacé. Rose recula, marmonna une excuse, et sortit prestement de la pièce ; mais elle sentit dans son dos le regard de Mr Fountain la suivre jusqu'à l'escalier.

Rose songea au phénomène dont elle avait été témoin plusieurs fois au cours des heures suivantes, tout en aidant Mrs Trump à manœuvrer l'essoreuse. Elle remarquait à peine la douleur dans ses bras, courbatus à force de tourner la manivelle. Qu'avait-elle vu, au juste ? C'était si beau ! Elle soupira. Quel plaisir de pouvoir faire apparaître de telles choses ! Elle avait presque envie de...

Elle leva la tête et vit Bill qui apportait un autre panier de tissus trempés. Avec son air soupçonneux, il ressemblait plus que jamais à un rat ; mais cela rappela à Rose qu'elle ne voulait pas faire de la magie. Jamais. Elle voulait être quelqu'un de normal.

Rose travailla d'arrache-pied toute la matinée. Enfin, après le déjeuner, Mrs Trump quitta le sous-sol encombré de linge humide étendu à sécher. Elle reviendrait le lendemain pour le repassage. L'atmosphère s'allégea, même si les joues étaient rougies par la chaleur de la lessiveuse.

Au milieu de l'après-midi, Miss Bridges coupa de ses petits ciseaux en forme de cigogne le dernier fil de la nouvelle robe de Rose.

— Voilà ! Tu as droit à une demi-heure de liberté avant d'apporter le thé à Miss Isabella et Miss Anstruther dans la salle de classe, Rose, lui dit-elle avec un sourire. Toute la maisonnée va prendre un peu de repos, et tu peux en faire autant.

Une idée germa dans l'esprit de Rose.

— Tout le monde se repose, à cette heure-ci ? demanda-t-elle d'un ton négligent.

Depuis son arrivée, elle avait toujours été si occupée qu'elle n'avait pas eu le loisir de suivre les emplois du temps des uns et des autres.

— Oui. Mr Fountain est à la Cour, bien sûr. Il a un appartement là-bas.

C'était l'occasion ou jamais. Si elle se hâtait, elle pourrait consulter le grimoire du laboratoire sans que personne ne s'en aperçoive. Elle avait essayé plusieurs fois de le feuilleter, mais Freddy avait le don d'apparaître quand et où on ne voulait pas de lui, et elle avait dû faire semblant de faire le ménage – et cela bien trop souvent pour que ce fût encore crédible.

Elle monta l'escalier sur la pointe des pieds et s'approcha de la porte. Un bourdonnement en provenait. Non pas un bruit sympathique comme en émettait parfois la maison, mais un vrombissement étrange, presque malveillant. Comme un essaim d'insectes, de guêpes haineuses. Se faisait-elle des idées ? Non. Il se passait quelque chose dans le laboratoire ; quelque chose de désagréable. Quelque chose de bien pire qu'une attaque de guêpes. Quelque chose d'horrible.

Rose se rongea l'ongle du pouce, nerveuse. Devait-elle s'en aller ? S'agissait-il de l'une de ces expériences vitales pour la nation auxquelles avait fait allusion Miss Bridges, et qui risquait de mal tourner si elle ouvrait la porte ? À bien y songer, d'ailleurs, elle n'avait aucune envie de l'ouvrir, cette porte. Hélas, c'était précisément pour ça qu'elle sentait devoir le faire. Ce n'était pas de la curiosité : elle était certaine que quelque chose n'allait pas, et qu'il lui fallait tenter d'intervenir.

Maudissant intérieurement cet endroit, Rose posa la main sur la poignée. Celle-ci était glaciale, et pourtant elle eut l'impression de se brûler les doigts. Elle ouvrit rapidement la porte avant de céder à la tentation de partir en courant.

Freddy se tenait debout au milieu de la pièce, serrant convulsivement contre lui le chat, Gustavus. Tous deux étaient d'une immobilité de statue. Leurs yeux s'arrondissaient de terreur, ce qui n'était pas difficile pour le chat, mais bien plus pour le garçon. Autour d'eux tournait une ombre sinistre. Une ombre ? Une fumée ? Une vapeur ? Impossible à dire : cette chose se modifiait à chaque fois qu'on la regardait. Rose se rendit compte avec un frisson qu'elle avait des yeux – des yeux désormais posés sur elle. Horrifiée, Rose comprit qu'il s'agissait de la jolie brume qu'elle avait vue le matin. Sauf qu'à présent elle n'était pas jolie. Elle était horrible, maléfique. La *chose* flotta à travers la pièce en direction de Rose, menaçante, et celle-ci ferma instinctivement les yeux en se protégeant la figure de ses mains.

Le bourdonnement se teinta alors d'une note irritée, et Rose se hasarda à ouvrir un œil. La créature était à une dizaine de centimètres d'elle et sifflait, frustrée, incapable de s'approcher davantage. Rose la regarda avec étonnement. Puis elle distingua du coin de l'œil un minuscule mouvement et se tourna vers Freddy. Il était libre ; du moins, ses yeux bougeaient. Gustavus et lui observaient Rose avec un mélange d'anxiété et d'espoir. Gustavus pouvait désormais remuer le bout de sa queue.

Pourquoi la créature ne l'immobilisait-elle pas de la même manière que les deux autres ? Avait-elle épuisé toute son énergie ? Les yeux de Rose allaient et venaient de la brume à Freddy, hésitante sur la conduite à tenir. Le monstre suivit son regard ; avec colère, il bondit en direction de Freddy et du chat – ou plutôt, il l'aurait fait si Rose ne l'avait pas attrapé. Elle avait agi sans réfléchir : si elle l'avait fait, elle aurait su qu'il était impossible de saisir de la fumée. La créature se démenait, bourdonnait de plus en plus fort, criait presque, la mordait et la griffait, même si Rose ne pouvait voir ni dents ni ongles. Ça faisait mal.

Rose la frappa. Elle avait parfois été obligée de se battre, à l'orphelinat. Rarement, car c'était une fille tranquille, mais elle savait se défendre. Il était hors de question qu'elle se laisse mordre par le premier monstre de brume venu. De plus, elle sentait la malveillance de l'autre s'insinuer en elle par ses pores. Il fallait que ça cesse. Sans compter qu'elle devait servir le thé dans quelques minutes.

— Arrête !

Elle gifla la créature là où elle s'imaginait qu'était son visage.

Et la créature lui obéit. Plus exactement, elle disparut, laissant Rose presque déçue.

Perplexe, elle regarda dans le vide, là où s'était trouvée la brume, puis elle se tourna vers Freddy et Gustavus.

Bouche bée, ils la contemplaient comme si elle venait de vaincre un monstre à elle toute seule.

Ce qui, à bien y réfléchir, était le cas.

8

— Qu'est-ce que tu as fait ? hurla Freddy, furieux.

Il avait l'air d'avoir envie de l'étrangler. Heureusement, il ne pouvait toujours pas bouger librement : quel que soit le sort que leur ait jeté la créature, ses effets ne s'étaient pas encore tout à fait dissipés.

Dès que le monstre avait disparu, Rose avait couru vers Freddy et Gustavus pour leur porter secours, mais, à présent, elle fit un pas en arrière, incertaine.

— Je... je ne sais pas. Qu'est-ce que c'était ? D'où est-ce que ça venait ?

— Ce ne sont pas tes affaires !

Si le visage de Freddy était blanc comme cire, ses joues, elles, avaient rougi de colère et ses yeux brillaient, comme s'il ravalait des larmes de honte et de rage. Rose retint un sourire. Il ne supportait pas l'idée qu'une servante ignorante comme elle ait pu l'aider. Elle eut presque pitié de lui. *Presque.*

— Frederick, elle nous a sauvés ! intervint le chat sur un ton de reproche.

Assis sur la table, il se léchait frénétiquement. Il n'avait retiré sa patte de sa bouche que quelques secondes pour parler avant de recommencer à nettoyer et mordiller sa fourrure. Rose le comprenait : elle avait elle-même l'impression d'être recouverte d'une substance poisseuse, et pourtant elle n'avait pas de poils.

— Elle ne nous a pas sauvés du tout.

Freddy s'était maîtrisé. Il ne criait plus, toutefois sa voix était glaciale. Cette fois, Gustavus interrompit sa toilette assez longtemps pour lui lancer un regard sévère :

— Bien sûr que si !

— Tout ce qu'elle a fait, c'est entrer ici et le distraire. Nous nous sommes sauvés par nous-mêmes. Et ne parle pas devant elle, c'est une domestique !

— Une domestique qui comprend ce que je dis. Tous les autres n'entendraient que des miaulements. Révélateur, n'est-ce pas ?

Il se frotta l'oreille en grommelant. Freddy ne s'avoua pas vaincu :

— D'accord, elle comprend le langage des chats. Mais ça ne veut rien dire !

Rose aurait bien aimé leur demander d'arrêter de parler d'elle comme si elle n'était pas là, mais elle n'osait pas. Freddy était l'apprenti de Mr Fountain, Gustavus son animal de compagnie. S'ils se plaignaient d'elle, elle serait renvoyée à l'orphelinat.

— Elle a interrompu la créature alors qu'elle était affaiblie après nous avoir pétrifiés, voilà tout, continua Freddy, de plus en plus sûr de lui. N'importe qui aurait pu en faire autant.

Gustavus le regarda avec une expression indéchiffrable, puis tourna ses yeux vairons vers elle.

— Où as-tu appris à parler aux animaux, petite ?

— Je ne sais pas. J'ignorais que je pouvais le faire. Le chat de l'orphelinat n'a jamais rien dit, ou en tout cas je ne l'ai jamais entendu. La première fois que ça m'est arrivé, c'était la semaine dernière, quand tu es venu manger de la crème dans la cuisine.

— Surprenant. On ne s'attend pas à ce qu'une gamine servante ait des pouvoirs magiques...

— Des pouvoirs ! le coupa Freddy, méprisant. Mais elle n'en a pas ! Ce n'est qu'une gueuse. Comme je viens de le dire, c'était un hasard. Une coïncidence. Et peut-être qu'elle a dérobé quelque chose dans le laboratoire qui lui permet de te comprendre. Oui, c'est sûrement ça ! Qu'est-ce que tu as pris, voleuse ?

Il passait à l'attaque pour vaincre sa peur. Rose lui tint tête.

— Je n'ai rien pris du tout, et tu le sais très bien !

Dans sa colère, elle en oubliait le vouvoiement de rigueur. Elle avait perdu tout espoir qu'il la laisse filer tranquillement, et elle le détestait trop pour s'arrêter. Elle pointa un doigt contre la poitrine de Freddy :

— Et si tu m'accuses auprès de Mr Fountain, moi, je lui rapporterai ce que j'ai vu. Je parie un an de gages que tu n'étais pas censé faire joujou avec ce monstre de brume !

Freddy se figea. Il n'avait pas l'habitude que les serviteurs aient le cran de lui répondre ; d'habitude, ils ne se plaignaient de lui que dans son dos.

— Tu n'oserais pas faire ça !

Rose leva un sourcil, et le chat se mit à rire.

— Elle te tient, Freddy !

— Elle *nous* tient. Je te rappelle que tu m'as aidé ! Et Fountain s'en doutera. Il sait que je ne serais jamais capable d'invoquer cet esprit tout seul. J'arrivais à peine à le voir, ce matin.

— Quoi ? C'est vous qui l'avez fait venir ? Qu'est-ce qui vous a pris ?

— Nous faisions une expérience, répondit Freddy, très grand seigneur. Nous voulions tester notre pouvoir, comme doivent le faire ceux qui sont initiés aux secrets de l'alchimie. Tu le saurais, si tu avais des pouvoirs. J'ignore comment tu fais pour parler à Gustavus, mais à part ça, tu es la personne la moins magique que j'aie jamais vue.

— C'est vrai ? Tu en es sûr ? demanda Rose, pleine d'espoir.

Elle souhaitait tant le croire ! Elle avait envie d'être en sécurité, en bas, dans la cuisine, loin de toute brume bourdonnante, en compagnie de gens qui se méfiaient des magiciens. Elle ne voulait pas faire partie de ceux que l'on considérait comme des fauteurs de troubles.

— C'était une coïncidence, voilà tout, répéta Freddy.

Voulait-il se persuader lui-même autant qu'il essayait de la convaincre, elle ? Non, sûrement pas. C'était un apprenti magicien. Il pouvait faire apparaître des monstres, même s'il s'avérait ensuite incapable de leur résister. Ses yeux sombres inspiraient désormais confiance, et Rose se sentit doucement enveloppée dans leur regard de velours. Il avait l'air si sûr de lui. Il devait le savoir. Il le *savait*.

Rose fit la révérence.

— Merci, Monsieur. Je vous demande pardon d'avoir interrompu vos... vos études.

Elle ne put pas complètement retenir un gloussement en prononçant ce dernier mot, mais elle regardait à nouveau ses pieds, comme une femme de chambre modèle. Freddy serra les poings et ne releva pas.

— Merci, petite ! lui lança le chat quand elle se dirigea vers la sortie. Je descendrai tout à l'heure dans la cuisine manger un peu de saumon, si tu veux bien !

Rose referma la porte derrière elle et s'y adossa pendant une seconde. Ce n'était pas ainsi qu'elle avait prévu de passer sa demi-heure de liberté. Mais au moins, elle savait maintenant que toutes ces choses étranges qui lui arrivaient ne venaient pas d'elle. La magie était compliquée, dangereuse, et elle ne voulait pas avoir affaire avec elle, en aucune façon.

Et comment as-tu fait apparaître ces images sur la baignoire ? lui demanda une petite voix intérieure. *Et cette mélasse sur l'homme à cheval ? Et pourquoi Bill et les autres ne comprennent-ils pas Gustavus ?* Mais Rose n'écoutait pas. C'était si agréable de se dire qu'elle était normale, en fin de compte, qu'elle ne voulait pas troubler cette joie.

* * *

Après avoir aidé Bill à rassembler toutes les chaussures de la maison pour les cirer et apporté à Miss Anstruther son chocolat du soir (additionné de cognac grâce aux bons soins de Mrs Jones), Rose était si épuisée qu'elle avait même du mal à porter son joli bougeoir en porcelaine. Elle était trop fatiguée pour s'inquiéter des mouvements de l'escalier : comme l'avait dit Bill, ce n'était que le fruit de son imagination. Le sommeil

la faisait voir trouble, et la flamme tremblotait, voilà tout. Elle ne désirait qu'une chose :
gagner sa petite chambre et dormir.

Au cœur de la nuit, cependant, elle se
réveilla en sursaut avec la conviction que
quelqu'un se trouvait dans la pièce à ses
côtés. Elle entendait une respiration. Était-ce
le monstre de brume, revenu pour se ven-
ger ? Elle le sentait tourner devant son
visage, s'enrouler autour de sa gorge...

— Elle va crier, constata quelqu'un près de
son oreille.

— Non !

Cette voix paniquée lui était familière.
Freddy.

— Qu'est-ce que tu fais ici ? chuchota
Rose, choquée.

Les surveillantes de St Bridget auraient eu
une crise cardiaque en la trouvant seule dans sa
chambre avec un garçon, et Miss Bridges elle-
même n'aurait certainement pas approuvé.

— Ne t'inquiète pas, Gustavus est venu
nous chaperonner.

Il y eut un léger bruit : Freddy avait tiré
une bougie de la poche de sa robe de
chambre et soufflait sur la mèche. Une
flamme s'éleva aussitôt, illuminant le visage

pâle comme un fantôme du garçon et le chat blanc perché sur l'oreiller. Étrangement, la facilité avec laquelle il avait réalisé ce petit tour ne fit qu'augmenter la colère de Rose.

— Lui, un chaperon ? C'est un animal ! Et personne d'autre ne comprend ce qu'il dit. Sors d'ici ! Comment es-tu entré, d'ailleurs ? (En tapis volant, peut-être ? Mais la fenêtre était fermée...)

— Nous avons monté l'escalier et ouvert la porte, répondit platement Gustavus.

— *J'ai* monté l'escalier avec lui dans les bras, parce qu'il ne faisait que se lamenter, corrigea Freddy. Et il est terriblement lourd, tu sais. Puis-je m'asseoir ?

Il esquissa un geste pour s'installer au pied du lit. Rose tira la couverture jusqu'à son menton, horrifiée.

— Non !

— Mais je dois te parler, et je ne peux pas rester debout, il n'y a pas de place. Je suis collé contre ta table de toilette. Ta chambre est vraiment minuscule !

— Si tu n'y étais pas, elle serait juste à la bonne taille !

— Oh, laisse-le s'asseoir, petite. Sinon, il ne va pas cesser de geindre, suggéra Gustavus tout en bâillant, dévoilant ainsi une rangée de crocs pointus comme des aiguilles. Il est venu te présenter des excuses, tu sais.

— C'est vrai ?

Cette nouvelle étonna tant Rose qu'elle en oublia sa colère.

— Uniquement parce que Gus m'a menacé de me dénoncer si je ne le faisais pas, avoua Freddy en se laissant tomber à l'extrémité du lit.

Rose hocha la tête. Toute autre réponse lui aurait paru suspecte.

— T'excuser de quoi ? De m'avoir traitée de voleuse ? Ou de m'avoir fait balayer deux fois le même coin de la pièce alors qu'il était parfaitement propre ?

Il y eut un silence embarrassé.

— Dis-le-lui, ordonna Gustavus.

— D'accord, d'accord ! J'ai menti. Tu nous as vraiment tirés d'un mauvais pas, tout à l'heure. Voilà, vous êtes contents ?

— Non, répondirent à la fois Rose et le chat.

— Supplie-la, ajouta Gustavus. Oblige-le à te supplier, petite. Tu lui as sauvé la vie, après tout.

— Mais non, j'ai juste dérangé cette... chose. C'est tout. Tu me l'as dit toi-même !

— J'ai menti, je le répète. (La lumière de la bougie créait des ombres noires autour des yeux de Freddy.) Tu nous as sauvés grâce à la magie, même si je ne sais pas comment tu t'y es prise.

— Ce n'est pas vrai ! Comment aurais-je pu faire une chose pareille ? Je n'y connais rien. Et tu étais si sûr de toi. Tu as dit que j'étais la personne la moins magique que tu aies jamais rencontrée !

Il haussa les épaules :

— Ça reste vrai. Mais tu l'as fait quand même. Nous étions prisonniers, et tu nous as délivrés.

— C'était une coïncidence, comme tu me l'as expliqué. Je n'ai rien fait du tout, je t'assure.

Freddy poussa un soupir irrité.

— Écoute, je sais que j'ai menti et que je t'ai *un peu* jeté un sort de persuasion pour que tu me croies, tout à l'heure, dans le laboratoire... Mais là, je te promets que je dis la vérité. C'est toi qui nous as sauvés, et tu as utilisé la magie. Beaucoup, beaucoup de magie. Plus que je n'en ai jamais eu. Oh, allez, ne me dis pas que tu ne t'en es pas rendu compte !

Rose se tut. Elle ne savait pas quoi lui objecter, à part « non », et il refusait de l'entendre.

— Pfff... fit Freddy, de plus en plus agacé. Pourquoi es-tu si têtue ? Tiens, je vais te le prouver.

Il s'agenouilla sur le lit et tendit la main vers la tablette où se trouvait le bougeoir de Rose, puis il le lança de toutes ses forces contre le mur de la chambre.

Rose glapit et tenta désespérément de le rattraper, mais elle n'avait aucune chance d'y parvenir. Elle était encore sous ses couvertures, trop loin, et le mouvement de Freddy avait été bien trop rapide.

Horrifiée, elle attendit le fracas de porcelaine brisée et le cri furieux de Susan, de l'autre côté de la paroi. Mais rien ne vint, et aucun débris ne tomba sur le sol.

Elle tenait le bougeoir dans les mains.

Rose leva les yeux sur Freddy qui sourit, triomphant.

— Tu vois ?

9

Rose regarda le bougeoir, bouche bée. Bien sûr, elle était ravie qu'il ne se soit pas brisé – elle aurait détesté devoir expliquer à Miss Bridges qu'elle l'avait fait tomber dès sa deuxième semaine dans la maison, sans compter que toute casse était décomptée de ses gages – mais il aurait dû se briser. Il était impossible qu'elle l'ait rattrapé au vol. Alors que faisait-il dans sa main ?

Soudain, elle sourit.

— C'est un truc, n'est-ce pas ? Tu as de nouveau trafiqué quelque chose dans mon esprit. Tu prétends l'avoir jeté, mais en fait, tu me l'as mis dans la main, c'est ça ?

— Non ! Mais enfin, pourquoi m'amuserais-je à te faire croire que tu peux faire de la magie si ce n'était pas le cas ? Je préférerais que tu restes à ta place, dans la cuisine !

Il avait l'air sincère, nettement plus que quelques heures plus tôt. Maintenant qu'elle y songeait, il était évident qu'il avait utilisé un sortilège pour la convaincre et que si ça avait aussi bien fonctionné, c'était parce qu'elle mourait d'envie de le croire.

Freddy leva les yeux au ciel avec impatience, et Gustavus intervint :

— Tu lui fais trop d'honneur, ma chère. Il n'est pas assez doué pour réaliser un tour pareil. Tout juste capable de faire un peu de prestidigitation élémentaire... Quand je pense à ce qu'il peut sortir d'un chapeau...

Il regarda Rose dans l'espoir qu'elle lui demande des précisions, mais elle l'écoutait à peine. Elle frôlait des doigts les fleurs peintes, comme si le bougeoir allait lui donner des explications. Peut-être pouvait-il le faire. Si les chats parlaient, pourquoi pas les objets ?

Au bout d'un instant, elle leva les yeux et dit d'un ton égal :

— Ne t'inquiète pas. C'est là que je serai, comme d'habitude.

— Où ça ? De quoi parles-tu ?

Freddy la considérait avec colère, comme si ses pouvoirs représentaient une insulte personnelle à son égard.

— À ma place, dans la cuisine. Je ne veux rien avoir à faire avec la magie. Je n'aime pas ça. Si je l'ignore, elle finira peut-être par s'en aller.

— Ce n'est pas un parasite qui a provisoirement élu domicile en toi, fillette ! objecta le chat d'un ton pincé. La magie fait partie de toi. Elle ne disparaîtra pas comme ça !

— Peut-être que si, insista Rose, obstinée.

Freddy la regardait à présent comme s'il la prenait pour une folle.

— Mais... tu n'en veux pas ? Tu ne te rends pas compte de la chance que tu as ?

— Si ! Si, je me rends compte de la chance que j'ai : je travaille ! Je suis passée du statut d'orpheline anonyme à celui de femme de chambre rémunérée. C'est à ce moment-là que j'ai eu de la chance ! C'est ça que je veux ! Pas jeter des sorts ou me bagarrer avec des monstres de brume !

— C'était un élémental, pour être exact, la corrigea Freddy sans pouvoir s'en empêcher. Un esprit des éléments.

— Je m'en moque. Je ne veux pas me mêler de ce genre de choses, un point c'est tout !

Freddy considéra Gustavus avec espoir.

— Elle ne pourrait pas me transmettre ses pouvoirs, par hasard ? Le vieux Fountain en tomberait à la renverse !

— Ne te fais pas encore plus idiot que d'habitude, mon garçon. La magie est en elle, et elle y restera, que ça vous plaise ou non, à tous les deux. J'aimerais bien savoir d'où tu la tiens, d'ailleurs. D'autres membres de ta famille sont-ils concernés ?

— Comment veux-tu que je te le dise ? Je suis une enfant trouvée !

— Tu ne sais vraiment pas qui sont tes parents ? s'étonna Freddy.

— Tu t'imagines que j'ai inventé tout ça ? Ce n'est pas spécialement agréable d'être orpheline, figure-toi ! Tout ce que je sais, c'est qu'on m'a trouvée dans un cimetière. Dans un panier à poissons, ajouta-t-elle à voix basse, certaine que ça ferait rire Freddy.

Effectivement, il s'esclaffa, mais Gustavus lui lança un tel regard qu'il s'arrêta aussitôt. Le chat voulut la réconforter :

— C'est très bon, le poisson. Mon plat préféré.

Ça ne la consolait pas vraiment, mais elle apprécia ses efforts et lui sourit. Gustavus cligna des yeux.

— Quelle grâce ! murmura-t-il. Tu as vu, Freddy ? Rien de plus efficace. Prends bien soin de ce sourire, fillette. Lave-toi les dents avec de la poudre... Où en étais-je ?

— Tu en étais à te faire séduire par Mademoiselle Joli Sourire, s'énerva Freddy. Ne lui apprends jamais à battre des paupières, s'il te plaît ! Je te préviens, Rose, ça ne marchera pas avec moi. Gus n'est qu'un vieux sentimental. Bon, alors que fait-on ?

Rose le regarda avec animosité.

— J'aimerais me rendormir, si ça ne vous dérange pas. Il y a des gens qui doivent se lever à six heures pour allumer le feu dans *ta* cheminée. Ce que tu pourrais très bien faire tout seul sans même sortir du lit, je parie.

Freddy fit mine de ne pas avoir entendu.

— Quand veux-tu en parler à Mr Fountain ? Je viendrai avec toi, sinon il ne te croira jamais. Toi aussi, Gus.

— Non ! cria Rose, horrifiée. Je n'ai pas l'intention de parler de tout ça à qui que ce soit, et tu n'as pas intérêt à t'en mêler !

— Mais il faut que tu le lui dises. Il devra te donner des leçons, puisque c'est chez lui que tu as été découverte. C'est comme ça que ça marche, n'est-ce pas, Gus ?

— Tout à fait. Cela fait partie des responsabilités fondamentales des magiciens. Elle deviendra sa seconde apprentie.

— Ah, chic ! Elle pourra se charger des mesures, et des corvées de ce genre !

Freddy semblait ragaillardi par la perspective d'avoir quelqu'un sous sa coupe.

— C'est lui qui t'a découvert ? demanda Rose avec curiosité.

— Non. Fountain et mon père ont fait leurs études ensemble. Il m'a pris par amitié. La plupart des magiciens ont au moins un apprenti, et ils se sont mis d'accord là-dessus quand je suis né. Mon père se chargera probablement d'Isabella, si elle est bonne à quelque chose. C'est encore trop tôt pour le savoir. Isabella a un don inouï pour torturer ses institutrices, mais c'est peut-être son unique talent.

— Je vois. Enfin, ça n'a pas d'importance. Tu ne lui diras rien du tout.

— Tu peux lui parler toute seule si tu préfères, mais je doute qu'il te croie. Désolé de te dire ça, mais tu n'es qu'une femme de chambre. Les domestiques ne sont jamais des magiciens. Fountain va penser que tu veux l'embobiner. Il risque de te mettre à la porte.

— Il n'en fera rien, parce que je ne lui en dirai pas un mot, expliqua patiemment Rose. Je te répète que je n'ai pas l'intention de le raconter à qui que ce soit, et je ne souhaite pas que tu le fasses non plus.

— Tu veux dire que tu vas continuer à faire la... la boniche ? Alors que tu pourrais être alchimiste ? Tu as perdu la tête ? As-tu une idée de ce que peut gagner un magicien certifié ?

— Non, admit Rose. Par contre, je sais nettoyer les sols, et je sais que je ne m'y connais pas du tout en magie. Et je ne veux pas m'y connaître ! insista-t-elle, butée. C'est difficile, dangereux, et comme tu viens de le dire, les domestiques ne sont pas censés avoir des pouvoirs. Donc, je ne m'en servirai pas.

Elle envoya un regard méfiant à Freddy et ajouta :

— Sauf si tu me dénonces, auquel cas il faudra que je me lance. Seulement ça risque de mal tourner, et personne ne pourra jamais réparer les dégâts que j'ai causés, donc tais-toi. D'accord ?

Freddy leva les mains en signe de capitulation :

— D'accord, d'accord ! Je ne le dirai à personne. C'est un terrible gâchis, mais tant pis ! (Il se leva du lit et prit Gustavus dans ses bras.) Allez, viens, toi !

Il fit les deux pas qui le séparaient de la porte, puis se retourna une dernière fois et déclara d'une voix hautaine :

— Exceptionnellement, j'allumerai moi-même le feu dans ma chambre, demain matin.

Il referma derrière lui. Rose sourit. *Je dois vraiment avoir beaucoup de pouvoirs*, se dit-elle en se rendormant. *Il ne ferait pas ça s'il n'était pas très impressionné.*

10

Le lendemain, Rose se rendit compte qu'elle avait hâte d'aller faire le ménage dans le laboratoire pour regarder de plus près les livres et les instruments qui s'y trouvaient. Elle avait beau avoir certifié à Freddy qu'elle ne voulait pas entendre parler de magie, il lui était impossible de ne pas y penser. Jusque la veille, elle avait eu des soupçons ; à présent, ses soupçons s'étaient mués en certitude, et cela changeait tout. Lorsque Susan l'avait réveillée en lui lançant une chaussure, elle s'était même demandé si elle serait capable de transformer sa voisine de chambre en têtard. Il valait probablement mieux qu'elle ne sache pas utiliser la magie : la tentation aurait été trop forte.

Quand elle arriva dans la cuisine après avoir allumé le feu dans les chambres, Rose découvrit qu'il se passait quelque chose de nouveau. Elle était en retard pour le petit déjeuner, car elle avait dû retourner chez Miss Isabella pour lui apporter de nouveaux petits gâteaux. Juste au moment où Rose avait cru en avoir terminé, Isabella était sortie de sa chambre en criant que ceux que contenait sa boîte étaient « ces trucs dégoûtants avec des raisins secs qui ressemblent à des mouches écrasées » et qu'elle n'en voulait pas. Mais quand Rose était revenue en courant avec des sablés, elle avait trouvé la fillette assise en tailleur sur son lit en train de grignoter un biscuit dépourvu de garniture tout en contemplant une nuée de mouches grandes comme des raisins secs qui bourdonnaient autour de son lit à baldaquin.

— Il va falloir que tu les fasses sortir, avait-elle dit à Rose d'une voix suave.

Rose avait mis dix bonnes minutes à les chasser par la fenêtre à l'aide d'un plumeau. Les créatures ne vivraient probablement pas longtemps (en fin de compte, ce n'étaient que des fruits secs ailés), mais elle s'en moquait. Elle avait refermé la croisée et avait lancé un regard lourd à Miss Isabella.

— Autre chose pour votre service, Miss ? s'était-elle enquise, mâchoires serrées.

Isabella l'avait regardée de haut, mais elle avait dû trouver qu'elle en avait assez fait pour le moment.

— Mmm... non. Pas tout de suite. Si j'ai besoin de toi, je sonnerai.

Rose retourna dans la cuisine, découragée, en espérant que Bill n'aurait pas dévoré tout le porridge. Mais personne ne mangeait. Tout le monde avait les yeux fixés sur une étrange bulle translucide qui flottait au-dessus de la table. À l'intérieur, une image déformée de Mr Fountain répétait inlassablement d'une petite voix discordante :

— *Du hareng salé pour le petit déjeuner, s'il vous plaît. Et ne faites pas brûler le pain. Du hareng salé pour le petit déjeuner, s'il vous plaît. Et ne faites pas brûler le pain. Du hareng salé...*

Les mains sur les hanches, Mrs Jones fulminait :

— Lui ai-je jamais servi du pain brûlé ? Quelle est cette nouvelle diablerie ? Je n'ai *pas* de hareng salé. Oh, faites donc taire cette chose !

— Comment ? demanda Bill en lançant un regard en coin à Rose, qui détourna les yeux.

Susan essaya d'attaquer la bulle avec une fourchette, mais celle-ci flotta un peu plus loin et continua à réclamer des harengs salés. À ce moment-là, Gustavus entra dans la cuisine, moustaches relevées, pour sa ration quotidienne de crème. Ayant examiné la bulle en penchant la tête sur le côté, il sauta sur la table avec légèreté. Il lui donna tout d'abord des petits coups de patte, délicatement, comme s'il avait joué avec un papillon. Soudain, il bondit et y planta ses dents. La bulle émit une dernière fausse note – *hareng !* – puis se dégonfla, suspendue à ses crocs comme une peau de poisson, avant de disparaître dans son gosier. Gustavus se lécha les babines et cligna de l'œil à l'attention de Rose.

Mrs Jones s'assit pesamment et lui caressa les oreilles d'une main tremblante :

— Gentil chat !

Gustavus poussa l'amabilité jusqu'à ronronner. Il devait avoir vraiment faim. Rose remplit une coupelle à ras bord de crème, et Gus s'installa sur ses genoux pour laper.

— Rose, ma fille, il va falloir que tu ailles acheter des harengs, déclara Mrs Jones après avoir bu quelques gorgées de thé. Oh, je ne me sens pas bien. Cette chose m'a retourné l'estomac !

Rose dévisagea les autres. Sarah avait le teint couleur cendre. Bill, muet, faisait la grimace. Susan, habituellement si féroce, pressait sa main sur sa bouche comme si elle avait la nausée. *Ce n'était pas bien méchant, pourtant !* se dit Rose, perplexe. *Juste une image qui parlait... comme mes propres images, en fait.* Comment pouvaient-ils vivre sous le même toit que Mr Fountain et redouter à ce point la magie ? Seule Miss Bridges ne semblait pas bouleversée, mais plutôt agacée.

— Sarah, donne une tartine de pain beurrée à Rose. Et toi, Rose, reviens le plus vite possible ; nous te garderons du porridge. Pourquoi donc ne m'en a-t-il pas parlé hier ? Heureusement qu'il se lève tard !

Rose revint de chez le poissonnier toute rouge. Le vendeur s'était montré très désagréable ; sarcastique, il lui avait demandé si elle voulait un homard gratuit en plus de ses harengs, pour lui éviter d'avoir à revenir se plaindre. Les homards s'étaient alors mis à gigoter comme de beaux diable, et plusieurs d'entre eux avaient réussi à s'extraire de leur caisse. Quand Rose était sortie du magasin, elle les avait regardés à travers la vitrine descendre du banc et escalader avec détermination la robe d'une cliente odieuse. Celle-ci, arrivée après Rose, s'était plainte de devoir attendre et avait fait à voix haute des commentaires désobligeants sur « ces petites dévergondées qui flirtent de manière éhontée avec les marchands ». Voir les crustacés disparaître sous ses jupons avait tant amusé Rose qu'elle en avait presque oublié les grondements de son estomac et qu'elle s'était dépêchée de rentrer, ayant hâte de raconter l'aventure à Bill.

Elle traversait la petite place en courant quand elle réalisa que les homards n'avaient pas pu défaire les liens qui attachaient leurs pattes tout seuls et tous en même temps. C'était elle qui les avait délivrés sans en avoir conscience. Encore une fois, elle avait jeté un sort à quelqu'un sans l'avoir délibérément décidé. Sa magie ne cessait de se manifester, et elle ne savait pas comment l'arrêter. Elle songea qu'il valait mieux qu'elle prenne quelques leçons, au moins pour apprendre à se contrôler. Elle n'avait pas spécialement mauvais caractère, mais il lui arrivait de se mettre en colère ; ne risquait-elle pas un jour de faire quelque chose d'horrible sans l'avoir vraiment voulu ?

Quand elle termina son petit déjeuner, il était déjà tard, et Miss Bridges décida que le laboratoire devrait se passer de son coup de balai quotidien. Mr Fountain avait annoncé – de manière traditionnelle, cette fois, c'est-à-dire via Susan – qu'il attendait un hôte à déjeuner. Il n'en avait pas fait mention auparavant, et la cuisine était plongée dans l'effervescence.

— C'est une dame, marmonnait Mrs Jones. Un diplomate ? Une charlotte, peut-être ? Un blanc-manger ? Oh, si seulement je l'avais su plus tôt, j'aurais pu faire un délicieux blanc-manger !

Rose, qui connaissait une orpheline prénommée Charlotte et savait vaguement que les diplomates travaillaient comme envoyés du roi, se demanda avec inquiétude si la bulle-message n'avait pas dérangé l'esprit de Mrs Jones. Mais le déjeuner qui fut finalement préparé était une véritable œuvre d'art.

— J'espère que cette dame l'appréciera, en tout cas, soupira Mrs Jones qui se laissa tomber sur une chaise et s'éventa de la main.

— Qui est-ce ? demanda Rose quand Susan sortit en emportant une grande soupière en argent.

Miss Bridges vaquait en haut : personne ne risquait donc de lui reprocher sa curiosité. Mrs Jones haussa les épaules :

— Une autre magicienne. D'après Miss Bridges, il l'a invitée pour parler de son travail. (Elle regarda le dôme de mousse de fruit qui attendait sur la table.) La gélatine n'a pas eu le temps de prendre correctement. J'espère qu'ils vont vite manger leur soupe et leur poisson, sinon tout va s'écrouler !

Rose admira le dessert. La mousse rose pâle fourrée de crème anglaise et décorée de violettes cristallisées (celles qu'elle avait achetées avec Bill quelques jours plus tôt) tremblotait sur une assiette en argent.

— Je me demande comment vous avez fait pour mettre la crème anglaise à l'intérieur de la mousse. C'est de la magie !

— Certes non, jeune fille ! la contredit Mrs Jones, sévère. Je te l'ai dit le jour où tu es arrivée : pas de magie dans ma cuisine ! C'est un moule bien conçu, tout simplement. De la magie ! Il ne manquerait plus que ça !

Rose baissa la tête.

— Je vous demande pardon, Mrs Jones. C'était juste une façon de parler. Je voulais seulement dire que ça avait l'air difficile à faire...

Elle alla dans l'arrière-cuisine aider Sarah et Bill à essuyer les innombrables casseroles qui avaient été utilisées pour préparer le déjeuner, mais elle avait du mal à se retenir de pleurer. Mrs Jones avait toujours été très gentille avec elle ; même si son amulette ne servait à rien, son cadeau partait d'une généreuse intention. Qu'arriverait-il si elle découvrait son secret, elle qui détestait la magie ?

Tout le monde me haïra, pensa Rose. Une larme roula sur sa joue et tomba sur la casserole en cuivre qu'elle frottait. Elle essuya la trace rageusement. *Bill ne sait déjà plus comment me parler. Il faut vraiment que je me débarrasse de cette magie.*

Soudain, un grand cri résonna dans toute la maison. Rose se boucha les oreilles. On aurait dit qu'il avait été magiquement amplifié, comme la sonnerie du laboratoire. Les fenêtres et les verres tremblèrent sous cette vague de fureur. Sarah sursauta :

— Qu'est-ce que c'était ?

— Miss Isabella, devina Bill. Ça ne peut être qu'elle. Je me demande qui a osé lui dire non...

Quelque chose se brisa en mille morceaux sur le carrelage du rez-de-chaussée, au-dessus de leur tête, et ils tressaillirent à nouveau. La cloche reliée au hall se mit à sonner.

Sarah et Bill se tournèrent vers Rose : c'était à elle de répondre. Toujours en tablier, Rose grimpa les marches et trouva Miss Bridges debout auprès d'un tas de dentelles hystérique d'où dépassaient deux pieds qui martelaient les carreaux blancs et noirs. Un grand pot de fleurs avait volé en éclat, et la fougère qu'il avait contenue gisait contre la porte de la salle à manger, déchiquetée.

— Le balai, Rose ! Isabella, levez-vous, je vous prie. Rose doit nettoyer, et vous risquez de vous couper avec les morceaux de porcelaine.

Miss Anstruther, l'institutrice, descendait l'escalier :

— Oh, Miss Bridges, je suis désolée ! Isabella voulait voir son père, et quand je lui ai dit qu'il était occupé, elle m'a enfermée dans son placard à jouets. Voyons, Isabella ! Dans quel état vous êtes-vous mise ? gémit-elle en se tordant les mains d'impuissance.

Rose leva discrètement les yeux au ciel. Elle avait pitié de Miss Anstruther, mais celle-ci manquait tellement de caractère ! Elle ressentit une pointe de compassion envers Isabella, qui devait rester toute la journée en sa compagnie.

Quand elle revint avec la balayette et la pelle, Miss Bridges et Miss Anstruther étaient encore en train d'exhorter la fillette à se relever.

— Voyons, Isabella, ma chérie, votre père n'aimerait pas vous voir ainsi, plaidait Miss Anstruther. Que s'est-il passé ? chuchota-t-elle à l'attention de Miss Bridges.

Sans penser que Rose l'entendait, Miss Bridges expliqua :

— J'ai dit à Isabella qu'elle ne pouvait pas entrer dans la salle à manger : Mr Fountain a demandé à ce qu'on ne le dérange pas. Mais comme elle a généralement le droit d'aller voir les hôtes au dessert, elle ne m'a pas crue. Elle m'a esquivée et a entrouvert la porte. Je suppose qu'elle a vu l'invitée de son père.

— La magicienne ? Je vois. Isabella a parfois tendance à être un peu jalouse...

— Oui, confirma sèchement Miss Bridges. Maintenant, il faut l'ôter de là avant qu'ils ne sortent. La situation est déjà bien assez pénible sans qu'Isabella essaie d'arracher les yeux de cette dame.

— Oh, elle ne ferait pas ça... protesta sans trop y croire Miss Anstruther.

Miss Bridges leva les sourcils.

— Bien sûr que si. Depuis combien de temps travaillez-vous ici ?

Un rire aigu tinta dans la salle à manger, suivi par une voix plus grave, masculine. Les pieds d'Isabella tambourinèrent de plus belle.

Miss Bridges soupira.

— Saisissez-la par les bras, je prends ses pieds.

Elle regarda les pantoufles de satin qui battaient l'air avec méfiance, mais Rose fut d'avis qu'elle avait bien choisi : Isabella n'hésiterait sûrement pas à mordre. Elle se tapit dans un coin afin d'éviter qu'on lui demande de l'aide.

Un peu plus tard, Miss Bridges redescendit l'escalier en frottant une griffure sur son poignet, juste au moment où Rose achevait sa besogne.

— Très bien, dit-elle en vérifiant d'un œil professionnel qu'il ne restait aucun fragment dans les coins. Parfait, Rose. Miss Isabella a... elle a été victime d'une crise de nerfs.

Elle toussota avant d'ajouter :

— Jette tout ça à la poubelle. Ensuite, tu iras nettoyer le laboratoire, puisque tu n'as pas pu le faire ce matin.

Rose emporta les morceaux du vase empaquetés dans du papier et soupira. Il y avait vraiment beaucoup de casse, dans cette maison. Elle alla s'enfermer dans le laboratoire, peu désireuse d'être dans les parages si Isabella recommençait son caprice ; mais elle était convaincue que sa « crise de nerfs » passerait dès que Miss Bridges et Miss Anstruther se seraient éloignées.

Le lendemain, la cuisine bruissait de rumeurs au sujet de Mr Fountain et de son invitée. Susan rapporta que le maître ne s'était pas couché : il avait passé la nuit dans son bureau et avait vidé une bouteille d'excellent cognac. Elle raconta également que sur sa table de marbre noir était ouvert *Le Grand*

Livre de l'étiquette au chapitre des demandes en mariage. Rose était allée allumer le feu dans sa chambre à coucher, le matin même, et avait trouvé les rideaux du lit tirés ; il ne lui était pas même venu à l'idée qu'il pouvait n'y avoir personne à l'intérieur.

Elle n'avait hélas pas trouvé la chambre d'Isabelle vide. La fillette avait jeté sa boîte à biscuits à la tête de Rose, et avait été furieuse lorsque Rose l'avait attrapée au vol : elle avait même menacé de demander son renvoi. Se faire assommer par de la vaisselle constituait de toute évidence une partie importante de ses obligations en tant que femme de chambre.

Quand Rose monta au laboratoire après le petit déjeuner, elle pria pour pouvoir faire simplement son travail dans le calme. Mais dès qu'elle passa la porte, Freddy surgit devant elle. Elle en lâcha son balai de frayeur.

— Ah, te voilà ! Tu as changé d'avis ?

— Non ! Et tu m'as fait peur !

Elle se mit rageusement au travail. Elle aurait voulu être seule, pour pouvoir rêver qu'elle venait consulter des grimoires plutôt que les dépoussiérer.

— Bon, soupira-t-il. Tant pis. Fountain ne t'écouterait probablement pas, de toute façon. Il ne pense plus qu'à cette odieuse bonne femme, Miss Sparrow. Elle lui a fait perdre la tête. Je ne comprends pas pourquoi. Il ne l'a rencontré que trois fois ! Il conserve un petit portrait d'elle dans la poche de sa veste ; je crois que c'est elle qui le lui a donné. Il l'a même enchanté pour pouvoir l'admirer dans le noir ! ajouta-t-il en éclatant de rire. Je le sais parce qu'il m'a fait chercher la formule, après son départ.

— À la cuisine, tout le monde pense qu'il va l'épouser. Susan dit que c'est la femme la plus belle qu'elle ait jamais vue. Pourquoi la trouves-tu odieuse ? demanda Rose en s'appuyant sur son balai, curieuse.

Freddy hésita, puis avoua :

— Je ne sais pas. Elle a quelque chose qui cloche. Fountain m'a ordonné de lui montrer des livres, des objets, et elle m'a remercié un peu trop chaleureusement. Tu sais, mielleuse, tout sourire... Ça cachait quelque chose. J'ai l'impression qu'il y a de l'huile de ricin sous tout ce miel. Je n'aime pas la regarder.

— Pourtant, il faut admettre qu'elle est superbe, intervint Gustavus.

Rose sursauta. Il était posté sur le rebord de la fenêtre, en observation devant des pigeons, et elle ne l'avait pas remarqué.

Freddy haussa les épaules.

— À mon avis, elle utilise un charme. Très réussi, en tout cas : elle ne le laisse jamais faiblir, et il ne sent pas mauvais.

Rose hésita. Elle ignorait ce qu'était un charme, et n'avait pas envie de poser la question de peur que Freddy se moque à nouveau d'elle, mais cette histoire d'odeur l'intriguait. Elle se résigna :

— Bon, vas-y. Tu te doutes que je n'ai aucune idée de ce dont tu parles. Qu'est-ce qu'un charme, et pourquoi sentirait-il mauvais ?

Contre toute attente, Freddy s'excusa :

— Oh, pardon. Après t'avoir vue te battre lundi, c'est difficile de se rappeler que tu n'y connais rien !

Rose le regarda avec ahurissement. Ce garçon en costume de velours et chemise à jabot impeccablement repassée la traitait presque sur un pied d'égalité. Pour la première fois, elle se demanda si son don pouvait réellement être ignoré. N'était-ce pas son devoir – elle ne savait pas très bien envers qui – d'en faire quelque chose ? Le règlement de l'orphelinat avait toujours été très strict au sujet du gâchis. Tous les soirs, Miss Lockwood étalait ses feuilles de thé sur une assiette pour les faire sécher afin de les réutiliser. Approuverait-elle Rose de laisser passer une telle occasion ?

Rose sortit de ses réflexions en réalisant que Freddy avait déjà commencé son explication :

— ... donc les autres te regardent et voient ce que tu veux qu'ils voient, pas ce qui est vraiment là. C'est très difficile à faire, parce qu'il faut toujours rester concentré. Et le problème des charmes, c'est que comme ils troublent les sens, ils ont parfois des effets secondaires. Par exemple, on entend un bruit de clochette, ou on sent une odeur bizarre. Tous les sens sont affectés, et pas seulement la vue, tu comprends ?

— Tu sais faire ça, toi ?

Maintenant qu'elle y songeait, les cheveux blonds et parfaitement lisses de Freddy n'avaient pas l'air beaucoup plus naturels que ses yeux sombres aux éclats d'or.

— Bien sûr que non ! Il faut avoir étudié pendant des années.

— Moi si, dit Gustavus.

Il sauta de la fenêtre, et avant même d'atterrir, se transforma en un chat mince, couleur crème, à la queue et aux pattes noires. Seuls ses yeux vairons demeuraient les mêmes.

— Tu vois ? Maintenant, je suis un siamois. Et ce qui est drôle, c'est que *tu ne sais pas* comment je suis vraiment ! Suis-je comme ça en réalité ? Le charme concerne-t-il cette apparence ou l'autre ? Malin, pas vrai ?

Rose secoua la tête, sûre d'elle :

— Non, tu ne peux pas être réellement aussi mince : j'ai vu tout ce que tu dévores !

Gustavus redevint un énorme félin blanc et prit un air pincé :

— Je ne mange pas tant que ça !

— Ce que tu avales nourrirait trois orphelines ! répondit Rose en souriant. Je vais leur parler de toi, tu sais. Oh, je ne raconterai pas que je comprends ce que tu dis, ne t'inquiète pas. Aujourd'hui, c'est mercredi, et j'ai droit à ma première demi-journée de libre. Je vais aller faire une visite à St Bridget.

Et parader devant mes amies, compléta-t-elle pour elle-même, lucide.

— À quelle heure y vas-tu ? demanda Freddy. Miss Sparrow va revenir en début d'après-midi. Tu pourrais voir à quoi ressemble une magicienne, même si ça m'étonnerait que tu veuilles l'imiter.

— Je ne pars pas tout de suite. Mais je te répète que je ne deviendrai jamais une magicienne ! insista-t-elle, d'une voix toutefois moins convaincue que d'habitude.

— D'accord. Ça ne t'empêche pas d'essayer de l'apercevoir. Tu me diras si toi aussi tu la trouves bizarre. Elle me fait penser à une araignée.

Rose grimaça. Elle n'aimait pas du tout les araignées, avec leur démarche glissante – elle était toutefois très douée pour les chasser avec un balai.

Rose n'était pas censée croiser les invités : c'était Susan, la première femme de chambre, qui ouvrait la porte et servait les repas. Mais Freddy se glissa dans la cuisine juste après le déjeuner, l'air confus, en prétextant un pot cassé. Après l'épisode du Ming, Miss Bridges redoutait tant d'avoir affaire à *ce garçon* qu'elle poussa presque littéralement Rose à sa suite.

— Tu lui as jeté un sort de persuasion, à elle aussi ? demanda Rose qui considérait de plus en plus la magie comme utile, du moins comme substitut à la ruse.

— Non, elle ne m'aime pas, c'est tout, répondit Freddy, que cela n'avait pas l'air d'inquiéter le moins du monde. Viens vite ! Allons nous poster dans l'escalier. J'ai même apporté un pot pour le casser, regarde !

— Est-ce obligatoire ? C'est moi qui vais devoir balayer, après !

— Il nous faut bien un prétexte pour le cas où nous nous ferions surprendre, expliqua patiemment Freddy. Tiens, je sais : nous pouvons le casser tout de suite dans la pelle, et tu feras comme si tu avais déjà terminé.

Il sortit de sa poche un joli petit marteau en argent. Il venait tout juste de briser le pot en mille morceaux dans le ramasse-poussière quand on sonna à la porte, et il faillit tout renverser en se penchant au-dessus de la rampe.

— C'est elle ! souffla-t-il pendant que Susan se précipitait vers la porte tout en rajustant sa coiffe. Je vois ses énormes plumes à travers la vitre !

Tout ce que Rose put contempler à son aise de Miss Alethea Sparrow fut justement

ces trois plumes d'autruche qui se balançaient sur sa tête ainsi qu'un élégant manteau
violet resserré à la taille. Elle ne fit qu'entrevoir son visage pâle, pointu, et ses boucles
brunes. Mais cela lui suffit pour être d'accord
avec Freddy. Miss Sparrow ressemblait effectivement à une araignée. Rose avait presque
envie de soulever ses jupons et de se protéger
avec un balai (de préférence manipulé par
quelqu'un d'autre). Ce pauvre Mr Fountain,
qui arriva du salon en multipliant courbettes
et compliments, avait tout d'une mouche
prise au piège.

II

C'était vraiment étrange de marcher seule dans la rue en ayant l'air d'une domestique bien vêtue et non d'une pauvre petite orpheline. Rose *était* une domestique bien vêtue. Elle portait même des bottines presque neuves et un bonnet à sa taille.

Bill lui avait tracé un plan du chemin à suivre pour retourner à l'orphelinat, et elle le serrait à présent dans ses mains gantées (dire qu'elle possédait aussi des gants !). Elle marchait joyeusement le long du jardin de la petite place. Elle n'avait pas eu le temps de l'examiner en détail quand elle était arrivée en trottant derrière Miss Bridges, pas plus qu'en allant faire les courses avec Bill ou lorsqu'elle avait dû courir acheter des harengs. Ce jour-là, le jardin était vide d'enfants, mais une vieille dame assise sur un banc regardait un petit chien chasser les papillons. Les statues représentaient toutes des hommes âgés ; un grand oiseau de pierre était perché sur l'épaule de l'un d'eux. Un magicien ? En tout cas, l'oiseau n'était pas un animal de compagnie ordinaire. Son bec était recourbé, cruel, et ses yeux de pierre semblaient fixés sur elle. Rose hâta le pas. Lorsqu'elle se retourna au bout de quelques mètres, elle eut la certitude qu'il avait tourné la tête et la suivait du regard. Cela la conduisit – lorsqu'elle fut assez loin pour cesser de craindre qu'il l'attaque – à se demander combien de magiciens exerçaient dans le coin. Et pourquoi les statues n'avaient-elles pas bougé quand elle était sortie, les fois précédentes ? À moins qu'elle ait été trop pressée pour s'en rendre compte ? L'oiseau ne bougeait-il qu'en certaines occasions ? Ou... que pour certaines personnes ? Bill était si manifestement hostile à la magie qu'il ne pouvait pas plus voir des statues bouger que des escaliers osciller sous ses pieds. Quand Rose avait été avec lui, avait-elle vu à travers son regard, puisqu'elle ne s'attendait à rien de spécial ? Et maintenant qu'elle était seule et peu pressée, allait-elle assister à d'autres prodiges ? Son cœur battit d'excitation.

Bill lui avait expliqué que la magie était rare et chère, et que seuls les riches pouvaient se permettre d'en faire usage. Mais il y avait sûrement des exceptions. Enfermées à St Bridget, les orphelines n'avaient presque jamais entendu parler de magie. C'était quelque chose d'aussi éloigné d'elles qu'un conte de fées, et tout autant romantique. À l'extérieur, cependant, la magie jouait peut-être un rôle plus important qu'elle ne se l'était imaginé. D'un autre côté, à en juger par les domestiques de Mr Fountain, les gens du commun redoutaient les sortilèges, et même les détestaient. Ils n'appréciaient que les enchantements les plus grandioses, tels les vitraux de l'église, magnifiques et prévisibles. La bulle de Mr Fountain, elle, avait été trop... trop simple. Il l'avait probablement créée et envoyée en bas simplement en claquant des doigts, presque sans y songer. C'était ce qui avait fait peur à tout le monde, dans la cuisine. Cette magie insouciante, facile...

À la Cour, en revanche, le surnaturel devait être du domaine du quotidien, puisque Mr Fountain y fabriquait tous les jours de l'or pour le roi. Peut-être que certains de ces passants qu'elle croisait étaient des alchimistes, ou des fils ou filles d'alchimistes ?

Elle longeait à présent un autre jardin, plein d'enfants surveillés de près par leurs parents ou leurs bonnes. En cercle autour d'une fontaine, un groupe de garçons jouaient avec un voilier miniature semblable à celui qu'elle avait inventé pour Maisie. La fontaine aussi ressemblait étonnamment à celle de son histoire, avec son rebord de marbre et sa statue centrale représentant un poisson qui crachait un jet d'eau. Rose fronça les sourcils. Comment avait-elle pu décrire avec autant de précision quelque chose dont elle ignorait l'existence ?

Elle parcourait désormais les rues commerçantes, rasant les murs pour ne pas gêner les autres promeneurs. Les orphelines de St Bridget s'étaient extasiées devant le joli chapeau noir de Miss Bridges, mais la tenue de la gouvernante était presque misérable comparée à celle de certaines élégantes. Rose fut à moitié poussée dans un renfoncement de porte par une énorme jupe à carreaux noirs et blancs. Comme elle venait de participer à la confection de ses quatre robes, elle était à peu près sûre qu'on aurait pu en faire six rien qu'avec ce vêtement. La femme croisa son regard et tira avec précipitation le tissu à elle, comme si elle avait eu peur que Rose n'y laisse des traces de doigts.

Si je devenais magicienne, se dit Rose, *je gagnerais peut-être assez d'argent pour m'acheter une jupe comme ça, ou plus volumineuse encore. Mais je ne le ferais pas. Elle est ridicule.* Cette pensée la ragaillardit. Elle tira la langue à la femme qui s'éloignait.

Un rire fusa. Son geste avait amusé un petit garçon vêtu d'un costume trop chaud au col trop raide, planté devant la vitrine d'une pâtisserie en compagnie de sa sœur et d'une bonne d'enfants. Rose fit un pas en arrière, craignant qu'il ne lui attire des ennuis, mais il se détourna et tira la main de sa nourrice. La pauvre femme semblait être sur des charbons ardents.

— On va au parc, maintenant ?

— Dans un instant, Edward. Non, Miss Louisa, vous n'aurez pas de gâteau !

— Allez, Lulu ! gémit le garçon. Allons au parc !

— Je veux un gâteau ! Maman nous achète toujours un gâteau ! Je veux un gâteau tout de suite ! Je veux celui-là !

La grande sœur, au moins aussi âgée que Rose, criait et tapait des pieds, le visage écarlate sous un chapeau à plumes du même genre que celui de Miss Sparrow. Rose était indignée. Cette fille était encore pire qu'Isabella. Même la plus petite des orphelines de St Bridget ne se serait pas conduite ainsi. Mais quand elle regarda de plus près la vitrine, elle se sentit un peu plus tolérante envers elle.

Le magasin regorgeait de friandises, si belles qu'elles avaient l'air artificielles. À St Bridget, on ne servait de pâtisserie que dans des occasions très exceptionnelles, et uniquement un triste gâteau aux fruits sombre et bourratif. Les orphelines en raffolaient, bien sûr, mais il appartenait à une catégorie complètement différente de ceux qu'elle avait sous les yeux. Le centre de la vitrine était occupé par une énorme pièce montée de trois étages recouverte d'un glaçage blanc éblouissant. Bien que n'en ayant jamais vu, Rose devina qu'il s'agissait d'un gâteau de mariage : les surveillantes de St Bridget aimaient lire les descriptions que faisaient les journaux des mariages dans la haute société, et on y trouvait toujours une pièce montée. Celle-ci était décorée de fleurs roses en pâte d'amandes et de véritables primevères saupoudrées de sucre. L'ensemble était incroyablement beau et naturel : les fleurs avaient l'air d'avoir poussé là, et les pétales se balançaient doucement au gré de la brise. Pourtant, il ne pouvait pas y avoir de vent dans la boutique. Rose plissa le front. Elle savait que la magie était trop chère pour les choses de tous les jours, mais pour un mariage chic ?

Les autres gâteaux n'avaient rien de surnaturel, mais ils dégoulinaient de crème ou de copeaux de chocolat. Sur le devant, des souris en pâte de fruits avaient été disposées en file indienne. Rose en eut l'eau à la bouche. Elle comprenait presque pourquoi Louisa faisait un tel caprice ; il était plus surprenant que le petit Edward restât indifférent.

À présent, Louisa martelait la vitre des poings en hurlant, résistant à la nourrice qui essayait de la contraindre à avancer. Son frère s'approcha négligemment de Rose, semblant vouloir faire croire qu'il était en sa compagnie et non avec Louisa. Gêné, il regardait les petits bonshommes en pain d'épice comme si leurs boutons en chocolat étaient la chose la plus intéressante qu'il eût jamais vue. Rose s'imagina ce qui se passerait s'ils descendaient lentement de leur plateau pour circuler parmi les autres gâteaux. Ils avaient juste la bonne taille pour chevaucher les souris en pâte de fruits.

— Tu sais, dit le garçon à Rose, les princesses Jane et Charlotte ont chaque jour au goûter des petits bonshommes en pain d'épice qui remuent !

— C'est vrai ?

Avait-il lu dans ses pensées ? Ou était-il impossible de regarder ces magnifiques biscuits sans les représenter en mouvement ?

— C'est ma nounou qui me l'a raconté. Elle dit aussi qu'elles possèdent une maison de poupée magique, avec des fées à l'intérieur, mais ça, je crois que c'est une invention. (Louisa poussa un nouveau hurlement, et il grimaça.) Oh, je voudrais tant qu'elle arrête !

La vitrine, en verre poli, épais, reflétait la rue dans leur dos. Rose réfléchit. Peut-être pourrait-elle... C'était presque comme créer des images, et Louisa l'avait bien mérité. Et ce serait si drôle ! Avec un brin de mauvaise conscience, Rose céda au picotement dans ses doigts.

— Groin, groin, murmura-t-elle.

Cela fonctionnerait-il ? Le reflet de Louisa commença à se modifier peu à peu ; son visage cramoisi s'aplatit, son nez s'agrandit...

— Louisa, regarde ! Tu es un cochon !

Edward, tout en désignant la vitrine du doigt, éclata de rire.

Louisa s'arrêta subitement de crier et plaqua ses mains sur sa bouche. Elle avait l'air d'avoir la nausée, mais elle se taisait enfin. Sa bonne en profita aussitôt pour l'emmener, et Edward les suivit en saluant Rose l'air ravi.

Souriante, elle se remit en marche. Il fallait qu'elle se dépêche si elle voulait avoir le temps de voir Maisie. Miss Lockwood tiendrait certainement à lui parler la première, pour vérifier qu'elle ne ternissait pas la réputation de l'orphelinat.

Monter les marches de St Bridget seule et non au centre d'un long serpent de cent fillettes était une expérience nouvelle. Arrivée devant la porte, Rose hésita, soudain un peu honteuse. Elle savait que tout le monde serait ravi de la recevoir : elle représentait désormais l'un des succès du foyer. Elle ne pouvait toutefois pas se dissimuler qu'elle était venue narguer les autres. Si elle avait bien sûr envie de voir ses amies, elle avait aussi envie de leur parler de sa chambre, de ses robes, et peut-être, mais à Maisie seulement, de ces étranges pouvoirs qu'elle commençait à apprivoiser.

Elle faillit faire demi-tour – en se demandant ce qu'elle allait dire à Bill – quand un murmure excité s'éleva de l'autre côté de la porte. Celle-ci s'ouvrit brusquement, et Rose fut happée par Ruth et Florence, en tablier. Elles avaient dû l'apercevoir tandis qu'elles nettoyaient les vitres du hall. Elles comptaient parmi les orphelines les plus âgées, à qui les meilleures corvées étaient toujours attribuées.

— Tu es revenue ! s'écria Ruth. On n'a pas voulu de toi ? On te traitait mal ? Tu t'es enfuie ?

— Ne dis pas de bêtise, fit Florence. Elle est juste venue nous rendre visite, pas vrai, Rose ?

Rose hocha la tête. Miss Lockwood fit son apparition, son trousseau de clefs à la main, comme si elle craignait une tentative de fugue.

— J'ai entendu la porte s'ouvrir. Que se passe-t-il ?

— C'est Rose, Miss ! répondit Ruth en faisant la révérence. Elle est venue nous voir !

Miss Lockwood sourit.

— Ah, Rose !

Elle changea d'expression et s'exclama :

— Tu n'as pas été renvoyée, j'espère ? Donnes-tu entière satisfaction ?

— Oh non, Miss... Je veux dire, oui, Miss... balbutia Rose, distraite par Florence qui singeait la directrice dans son dos. J'ai un mot pour vous ! réussit-elle à articuler en mettant une lettre dans la main de Miss Lockwood.

Celle-ci l'ouvrit et la parcourut rapidement :

— Bonne travailleuse... polie... frugale... C'est parfait, Rose !

Florence avait désormais pris l'air d'une sainte et tenait son plumeau au-dessus de sa tête en guise d'auréole. Miss Lockwood se retourna et lui donna un petit coup avec le papier :

— Les fenêtres, Florence ! Rose, viens prendre le thé avec moi dans mon bureau.

Rose la suivit en saluant Ruth et Florence de la main. Du thé ! Jamais Miss Lockwood n'avait pris le thé avec une de ses pensionnaires. Mais justement, Rose n'était plus une de ses pensionnaires. Elle avait encore du mal à s'en convaincre.

Rose n'avait jamais mis les pieds dans le bureau de Miss Lockwood, sauf très brièvement, le jour de la visite de Miss Bridges. Seules les orphelines les plus âgées qui venaient y faire le ménage et celles qui possédaient des reliques avaient l'occasion d'y pénétrer. Elle avait parfois aperçu l'intérieur depuis le couloir, et Maisie lui avait décrit la vitrine aux tristes souvenirs qui se dressait sous la fenêtre. À tout hasard, elle chercha des yeux l'œil magique, en vain.

Miss Lockwood plaça la théière sur un réchaud et ouvrit un petit buffet. Après une courte hésitation, elle choisit des tasses fleuries : Rose ne méritait pas qu'elle sorte le service au liseré doré. Tout en s'activant, elle monologuait gaiement, disant à quel point elle était contente que Rose fût heureuse, se félicitant que Miss Bridges appréciât l'éducation dispensée à l'orphelinat. Rose demeurait poliment assise en attendant l'occasion de l'interrompre. Elle finit par prendre la parole quand Miss Lockwood se tut pour verser le thé :

— Pourrais-je voir Maisie, s'il vous plaît, Miss ?

— Maisie ?

Pendant une seconde, Miss Lockwood eut l'air de ne pas savoir de qui il s'agissait.

— Ah, Maisie ! Non, Rose, je suis désolée. Maisie nous a quittés.

Rose en eut le souffle coupé pendant quelques secondes.

— Elle est partie ? Elle... elle n'est pas morte, Miss ?

Plusieurs orphelines que Rose avait connues étaient décédées : il y avait eu une épidémie de scarlatine l'année précédente, et malgré la propreté impeccable de St Bridget, les maladies se répandaient rapidement dans un lieu rassemblant tant d'enfants.

— Non, non. (Miss Lockwood secoua alors légèrement la tête.) Ces horribles mouches ! se plaignit-elle. Elles ne cessent de bourdonner !

Rose ne vit aucun insecte, mais elle acquiesça poliment, impatiente d'entendre la suite.

— Non, non, elle n'est pas morte. Non, Rose, il lui est arrivé quelque chose de merveilleux : sa mère est venue la chercher !

Miss Lockwood, les larmes aux yeux, tira un petit mouchoir brodé de sa poche et se moucha délicatement.

— Leur joie d'être enfin réunies après tout ce temps était si émouvante... La mère de Maisie, Mrs James, était bouleversée.

— Sa mère ? répéta Rose, hébétée. Vraiment ?

— Je sais, c'est si rare, n'est-ce pas ? Et elle vient d'une famille très privilégiée, Rose ! Des gens très fortunés ! Mrs James est arrivée dans sa propre calèche, et a emmené Maisie en moins de temps qu'il en faut pour le dire !

Elle sourit. Ces retrouvailles avaient satisfait ses goûts romantiques.

— Maisie a même évoqué son bateau ! ajouta-t-elle en essuyant une autre larme.

— Son bateau ?

La voix de Rose avait pris une inflexion plus tranchante. Miss Lockwood agita son mouchoir devant elle comme pour chasser des insectes :

— Oui. Maisie se rappelait l'après-midi où elle avait perdu ses parents. Elle jouait avec un petit bateau. C'est si triste, n'est-ce pas ? Sa mère a éclaté en sanglots en entendant ça : elle ne pensait pas que Maisie eût pu s'en souvenir. Maisie portait aussi son manteau rose, son préféré. Quand elle en a parlé, Mrs James a dû m'emprunter un mouchoir.

Le bateau ! Rose était pourtant certaine d'avoir inventé toute cette histoire. Et voilà qu'en fait tout était vrai. Comment était-ce possible ? Avait-elle tiré ces images du fond de la conscience de Maisie, sans le savoir ?

Tête baissée, Rose s'efforçait de digérer ces informations. La honte qu'elle avait ressentie devant la porte de l'orphelinat la saisit à nouveau. C'était *elle* qui venait donner des nouvelles formidables ! C'est *elle* qui venait raconter à Maisie toutes les choses merveilleuses qui lui étaient arrivées ! Et voilà que Maisie n'était même pas là ! Rose se réprimanda sévèrement. *Tu n'es qu'une égoïste. Maisie doit être tellement heureuse !*

— J'imagine que je ne la reverrai plus jamais, murmura-t-elle.

— Probablement pas, confirma Miss Lockwood, apitoyée. C'est une vie différente qui commence pour Maisie – pour Alberta, je veux dire.

— Alberta ?

Rose sourit. Elle avait du mal à voir une Alberta en Maisie, si maigre, si fragile. *Alberta James.* Un vrai nom. Elle dut cligner des paupières : ses yeux la piquaient, ce qui l'agaça. Voilà qu'elle devenait aussi sentimentale que Miss Lockwood !

La petite horloge au-dessus de la cheminée tinta. Rose se leva d'un bond :

— Oh, il faut que je parte ! Merci de m'avoir reçue et de m'avoir donné des nouvelles, Miss. Pourriez-vous dire aux autres que je pense bien à elles ?

— Bien sûr.

Miss Lockwood se leva dans un bruissement de robe. Rose se dirigea vers la porte en regardant distraitement la vitrine aux reliques, pleine de papiers, de miniatures, de pauvres bijoux.

— Reviens nous voir quand tu veux, Rose, l'invita Miss Lockwood en la reconduisant jusqu'à la sortie.

Avant de tourner l'angle de la rue, Rose jeta un regard en arrière. La directrice était encore là ; elle agitait son mouchoir en signe d'adieu et secouait la tête, visiblement obsédée par les mouches. Certaines orphelines prétendaient que Miss Lockwood conservait du gin dans le petit pot à lait de son bureau. Rose ne les avait jamais crues, mais il était indéniable que ce jour-là la directrice se comportait d'étrange façon.

Rose marcha lentement, songeant à Maisie. Alberta James. Elle allait se laisser pousser les cheveux et mangerait assez pour redevenir potelée, comme la fillette en manteau rose apparue sur la baignoire. C'était difficile à croire. Rose ne parvenait à se représenter Maisie que telle qu'elle l'avait vue dans le placard à balais, la chaîne de son médaillon enroulée autour de ses doigts, les yeux grands ouverts au milieu de son visage un peu gris.

D'un seul coup, Rose s'arrêta net et faillit être heurtée par un énorme landau poussé par une nourrice. Elle s'excusa machinalement et se rangea sur le côté, le cœur battant, saisie d'effroi.

La fillette au manteau rose. Le médaillon.

Le manteau rose était bien le fruit de son imagination. C'était Rose qui avait inventé ce détail après avoir aperçu par la fenêtre deux fillettes vêtues de manteaux rose pâle, juste avant de raconter l'histoire, ce fameux dimanche, dix jours plus tôt.

Quant au médaillon, il était encore dans la vitrine. Elle venait de l'y voir, sale, cabossé, avec sa chaîne brisée. Maisie ne serait jamais partie sans emporter son trésor.

D'ailleurs, si Maisie avait été accidentellement perdue et non abandonnée, pourquoi aurait-elle possédé un tel médaillon ? Les petites filles riches ne portaient pas de bijou de ce genre. Une rangée de perles, ou une croix en or massif, éventuellement. Ce pendentif était du même ordre que les autres pacotilles des orphelines, à qui leurs mères, trop pauvres pour les nourrir, avaient donné ces bijoux sans valeur avant de les confier à St Bridget.

Cette histoire ne tenait pas debout.

Peut-être Miss Lockwood n'était-elle pas ivre, en fin de compte. Peut-être mentait-elle.

12

Rose s'adossa à la grille du parc et réfléchit. Elle était certaine d'avoir raison. C'était trop beau pour être vrai. Mais ce n'était pas ce qui comptait : où était Maisie, à présent ? Et pourquoi quelqu'un s'était-il donné autant de mal pour enlever unc orpheline ? Rose serra dans son poing l'amulette inutile de Mrs Jones. Elle la gardait toujours dans la poche, comme la cuisinière le lui avait recommandé, même si elle ne croyait pas à son efficacité. Maisie comptait à présent au nombre des fillettes disparues – une de plus...

Elle n'avait pas le temps de méditer là-dessus : il était réellement l'heure de rentrer. Mais tout en se hâtant vers la maison, en descendant l'escalier de service, et en répondant poliment à Mrs Jones qui l'interrogeait sur sa visite, elle ne cessa de tourner les mêmes questions en boucle dans sa tête.

Freddy surgit devant elle alors qu'elle rapportait à la cuisine le dîner de Miss Isabella. La plupart des plats n'avaient pas été touchés, et Rose avait dû ôter le riz au lait collé au mur de la nursery. Elle faillit devoir nettoyer également le couloir, mais Freddy rattrapa au vol le plateau qui lui glissait des mains.

— Pourquoi apparais-tu toujours aussi brusquement ? se plaignit Rose. Tu ne pourrais pas arriver en marchant tranquillement comme tout le monde ?

Freddy se renfrogna.

— Je venais te voir, c'est tout ! Pas la peine de te fâcher. Je voulais juste avoir ton opinion au sujet de Miss Sparrow, puisque nous n'avons pas eu le temps d'en parler tout à l'heure.

Il fronça les sourcils et finit par lancer :

— Tu es bien malpolie pour une femme de chambre, tu sais !

Il avait repris sa voix froide et hautaine, et Rose comprit qu'elle avait passé les bornes. Elle ne savait pas s'il était blessé ou simplement mécontent qu'elle eût oublié sa place, mais ça lui importait peu. Avec un soupir, elle appuya l'extrémité du plateau contre un rebord de fenêtre pour se reposer les bras.

— Excuse-moi. Il est arrivé quelque chose, mais ce n'est pas ta faute. Miss Sparrow... murmura-t-elle, faisant un effort pour chasser l'image de Maisie et se remémorer la visiteuse. Tu as raison, je ne l'aime pas non plus. Elle me donne la chair de poule.

Rose se frotta le visage de sa main libre, toujours aussi soucieuse. Que devait-elle faire ?

Freddy lui prit le plateau, et Rose le regarda avec surprise.

— Tu allais le lâcher de nouveau, expliqua-t-il en le posant par terre et en prenant place sur le rebord de la fenêtre. Allez, assieds-toi. Qu'est-ce qui se passe ? Tu t'es rendu compte que tu préférais l'orphelinat ? Tu veux y retourner, c'est ça ? demanda-t-il d'un air inquiet.

— Ça ne va pas ? s'exclama Rose d'un ton sec avant de pouvoir se retenir. Bien sûr que non, continua-t-elle plus doucement.

Après tout, il ne savait pas de quoi il parlait. Elle ne pouvait pas lui en vouloir. Sans se presser, en partie pour essayer d'y voir clair elle-même, elle lui relata son après-midi et la disparition de Maisie.

— C'est vrai, tu peux créer des images ? (Il avait l'air fasciné.) Je n'avais jamais entendu parler d'un tel don.

— Ce n'est pas ça, l'important ! Je suis sûre que Miss Lockwood mentait. Elle se conduisait de manière anormale.

Freddy secoua la tête.

— Je ne crois pas.

— Mais si ! Tu n'as pas compris ce que je disais au sujet du manteau rose ? C'est moi qui l'ai inventé, j'en suis absolument certaine ! Cette femme ne pouvait donc pas s'en souvenir. Ce n'est pas sa mère. Il est arrivé quelque chose d'horrible à Maisie !

— Je ne dis pas que c'est vrai, je dis que Miss Lockwood ne mentait pas. Vas-tu m'écouter ? Tu estimes qu'elle n'était pas sincère parce qu'elle agissait de façon bizarre, qu'elle agitait son mouchoir...

— ... comme quelqu'un de nerveux, oui. Et alors ?

— Elle avait l'impression d'être entourée de mouches ! Allez, Rose, tu ne devines pas ? Un bruit inhabituel ? Un bourdonnement ? Je t'en ai parlé tout à l'heure ! On lui a jeté un sort. Quelqu'un est venu la trouver en utilisant un charme. Un charme puissant, puisqu'elle en ressent encore les effets secondaires.

Rose le regarda, bouche bée. Elle avait tellement l'habitude de le considérer comme un idiot qu'elle avait du mal à lui donner tout de suite raison.

— On lui a fait voir quelque chose qui n'était pas là... murmura-t-elle.

— C'est ça. Et on a dû faire pareil avec Maisie, pour qu'elle accepte de partir.

— Elle avait tellement envie d'y croire ! Je suis sûre qu'elle a raconté cette stupide histoire de fontaine et de bateau dès que la femme a passé la porte. J'ai facilité le travail de ses kidnappeurs...

— Mais pourquoi l'a-t-on enlevée ? Pourquoi elle ?

Rose fronça les sourcils.

— C'est ça que je ne comprends pas. Elle... elle n'avait rien de spécial. C'était mon amie, mais c'était juste une orpheline comme une autre.

Freddy hésita un peu, puis lança :

— C'est peut-être bien ça, l'explication. C'était *juste* une orpheline.

— Que veux-tu dire ? demanda Rose d'une petite voix, mais devinant déjà où il voulait en venir.

— Quelqu'un dont personne ne se soucie, qui ne manquera à personne. (Freddy fixait le tapis.) La directrice de l'orphelinat pense qu'elle a une nouvelle vie, et ne compte pas rappeler son triste passé à cette petite fille riche. Personne ne va poser de questions gênantes à son sujet...

— Sauf moi ! s'écria Rose. Ils m'ont oubliée dans leurs plans !

— Les pauvres... marmonna Freddy.

Rose l'ignora :

— Mais qui donc enlève des orphelins, et pourquoi ? Parce qu'elle n'est pas la seule à avoir disparu, tu sais. Il y a plein d'autres enfants concernés – Mrs Jones n'arrête pas de citer des articles de journaux qui en parlent, et puis il y avait ces deux filles pour lesquelles on nous a demandé de prier, à l'église... Il faut que je découvre ce qui se passe, déclara Rose, poings serrés, en se levant. J'aurais renoncé à revoir Maisie si j'avais vraiment cru qu'elle était désormais Alberta James, avec un poney, une maison de poupée, et une famille, mais je ne laisserai personne me voler ma meilleure amie !

Freddy cligna des yeux.

— Heu... oui, tu as raison... Et... que comptes-tu faire ?

— Je ne sais pas. (Rose sembla rapetisser, et se rassit, découragée.) Je n'en ai pas la moindre idée. Tu as une suggestion ?

— Nous pourrions tenter la catoptromancie, j'imagine... proposa Freddy, incertain. Je n'ai jamais essayé, mais la formule est dans le Prendergast, donc ça doit être faisable. Peut-être Gus acceptera-t-il de nous donner un coup de main. Il est doué pour tout ce qui concerne la vision. Avec les yeux qu'il a...

— C'est vrai, tu veux bien m'aider ? demanda Rose, stupéfaite. Mais pourquoi ?

Freddy haussa les épaules, embarrassé.

— Je ne sais pas. Tu m'as sauvé de cet élémental, et j'ai une dette envers toi. Je ne devrais pas avoir de dette envers une servante ; je dois donc m'en acquitter.

Dos rond, yeux baissés, il continua :

— Et puis tu me parles. D'accord, c'est souvent pour me crier dessus, mais personne ne me parle à part Gus. Même Fountain ne semble pas vraiment remarquer mon existence, et les rares fois où je rentre chez moi, tout ce que mes parents trouvent à me dire, c'est qu'il faut que je fasse plus d'efforts. Si tu disparais à ton tour, tu... tu me manqueras, voilà !

Rose fronça les sourcils.

— Tu ne vas pas devenir sentimental, tout de même ?

Il secoua énergiquement la tête. Ses cheveux blonds et lisses ne bougèrent pas ; Rose était de plus en plus convaincue qu'ils restaient toujours bien coiffés par magie.

— Bien sûr que non ! Mais ça fait des mois que je ne peux bavarder qu'avec un chat, et Gus ne voit pas les choses à ma manière. Il pense surtout aux souris et à ce genre de trucs, en fait.

— Je comprends. Alors, cette cat... catoptromancie, qu'est-ce que c'est ? Une espèce de charme ?

— Non, c'est une pratique divinatoire qui consiste à faire apparaître des images sur une surface brillante. Je ne sais pas si ça va marcher, par contre. Il me semblerait logique que quelqu'un ait déjà essayé de chercher les enfants disparus de cette manière. Mais la police n'aime pas trop la magie, donc peut-être pas.

Il prit un air pensif, puis déclara :

— Il nous faut un miroir, ou quelque chose de ce genre.

— Un miroir magique ? demanda Rose, méfiante, car les trois quarts du temps elle soupçonnait Freddy de s'amuser à ses dépens.

— Oui, mais pas pour lui poser des questions ! Juste pour regarder. Nous pourrions aussi utiliser de l'eau, ou tout autre élément. Certaines personnes se servent du feu.

Cela ressemblait beaucoup à ce qu'elle avait fait à l'orphelinat. Peut-être était ce à sa portée.

— Peut-on voir le passé ?

— C'est possible. Mais c'est difficile, et ceux qui y parviennent demandent un prix exorbitant pour leurs services, ce n'est donc pas très courant. Un cousin de mon père arrive à faire apparaître des images du passé. Il passe désormais la moitié de l'année dans son château en Écosse, à pêcher le saumon... expliqua Freddy avec un sourire rêveur. Bien sûr, si on voit dans le futur, on peut demander n'importe quel prix. Presque personne ne sait faire ça.

Rose frissonna.

— Je détesterais ça. On risque d'apprendre quelque chose qu'on ne voulait pas savoir !

Ses yeux tombèrent soudain sur le plateau. Elle poussa un cri :

— Mrs Jones va croire que l'escalier m'a avalée !

Ramassant les restes du repas, elle partit au pas de course, non sans avoir lancé par-dessus son épaule :

— Je te retrouve ce soir dans le laboratoire !

Déjà étrange de jour, la maison devenait franchement sinistre passé minuit, à la lueur d'une petite bougie. Rose parcourut le couloir à tâtons, en s'efforçant d'ignorer les taches poisseuses d'origine inexpliquée sur les murs. Elle fut soulagée de sentir sous sa main la poignée en porcelaine blanche. La porte s'ouvrit silencieusement, et Freddy leva les yeux du miroir de poche qu'il tenait à la main. À la lumière de la flamme, son visage était plus blanc que jamais, et des cernes profonds entouraient ses yeux noirs ; on aurait dit un fantôme en pyjama rayé. Le laboratoire était plongé dans l'obscurité ; seule la grande table était éclairée. L'étrange assemblage posé dessus projetait des ombres changeantes, et les liquides contenus dans les tubes émettaient parfois des lueurs inattendues. Rose protégea la flamme de la bougie contre les courants d'air : elle n'avait pas du tout envie qu'elle s'éteigne.

— Ah, te voilà ! Ça fait des heures que nous t'attendons. J'ai convaincu Gustavus de venir, mais il faudra que tu lui donnes une ration de crème supplémentaire. Tu peux faire ça, pas vrai ?

Rose sourit et déballa fièrement quelque chose d'odorant empaqueté dans son mouchoir :

— Les restes du dîner de Mr Fountain. Il n'a pas tout mangé.

— Des sandwichs au crabe ! s'exclama Gustavus en accourant à toutes pattes. Merci, petite. Je ferais n'importe quoi pour des sandwichs au crabe !

— Tant mieux. Alors dis-nous quoi utiliser, lui demanda Freddy. J'ai un miroir, ainsi que ce vieux bol bizarre que j'ai rempli d'eau. On pourrait aussi allumer une grosse bougie. Rose a déjà réussi à voir des images sur des bottines, mais je ne pense pas que ça puisse être considéré comme de la véritable catoptromancie.

— Ce « vieux bol bizarre », comme tu dis, Frederick, est un objet rituel datant du temps des druides ! l'informa Gus entre deux bouchées. Je n'ose imaginer ce qu'ils faisaient avec. Rose, tu n'as pas d'autre sandwich, n'est-ce pas ? Bon, tant pis. Voyons... Essayez avec le miroir. C'est le plus facile, pour les débutants.

Rose se pencha sur le miroir posé sur la table, ses cheveux plus noirs que jamais, cotoyant la blondeur de Freddy.

— Que dois-je faire ?

— Prendergast dit de « regarder au-delà de son reflet, dans les brumes d'un monde au-delà du nôtre », lui cita Freddy en consultant le livre.

— Ce qui signifie quoi, concrètement ? Je ne vois aucune brume. Juste mon visage. Oh !

— Quoi ? Tu as aperçu quelque chose ?

Freddy se pencha par-dessus son épaule, intéressé.

— C'est devenu tout noir. Est-ce normal ? demanda Rose dont le nez touchait maintenant presque la glace. Je ne vois pas Maisie, ni rien. Seulement du noir.

Gus s'inclina à son tour, ses moustaches frôlant le miroir.

— Intéressant. Essaie de penser à ton amie. Évoque son image. Rappelle-toi la dernière fois que vous vous êtes vues.

Rose fit une tentative, mais peut-être confondait-elle la véritable Maisie avec la fillette imaginaire en manteau rose et l'Alberta James inexistante, car malgré tous ses efforts, rien n'apparut.

Gus soupira, ce qui fit danser ses moustaches.

— Une enfant dans les ténèbres... Je n'aime pas ça. Il te faudrait un objet qui lui appartenait. Ça t'aiderait, comme quand on fait renifler un vêtement à un chien pour lui faire suivre une trace. Possèdes-tu quelque chose qui te vienne d'elle ?

— Non, rien.

Rose essaya encore de se représenter Maisie, mais elle ne parvenait pas à en avoir une vision définie. Elle serra les dents, le visage désormais aussi pâle que celui de Freddy. Le miroir n'était pas seulement sombre : il respirait le danger. L'obscurité était froide, malveillante. Et elle grouillait, comme si des milliers d'araignées se pressaient contre la vitre, de l'autre côté.

Enfin, Rose se redressa en clignant des yeux et se tourna vers ses deux compagnons. La chaleureuse lumière des bougies lui parut bien agréable après le froid glacial du miroir.

— Ça ne marche pas. Il va falloir que je retourne à l'orphelinat. Là-bas, il y aura forcément un registre, quelque chose qui indique où Maisie a été emmenée, ou un indice quelconque, pas vrai ?

Face à leur air dubitatif, elle soupira :

— Il n'y a rien d'autre à faire. Je n'ai pas l'intention d'abandonner. Je pourrais aussi emprunter le médaillon, pour réessayer, suggéra-t-elle à contrecœur, peu désireuse de tenter à nouveau l'expérience. Maisie aimait tant ce bijou... Ça marcherait sûrement mieux avec, non ?

Sa voix était suppliante. Gus hocha la tête :

— C'est possible...

Rose se recroquevilla dans un fauteuil et enfouit ses pieds sous sa robe de chambre : le froid du miroir avait pénétré jusqu'à ses os.

— J'y retournerai la semaine prochaine. (Elle se mordit les lèvres.) Encore six jours à attendre !

Si cette obscurité avait réellement quelque chose à voir avec Maisie, quelques heures de plus étaient déjà trop.

— Je n'obtiendrai pas l'autorisation de prendre ma demi-journée de repos plus tôt, j'imagine ? Surtout si je ne peux pas dire pourquoi...

Gus eut un petit rire :

— Je voudrais bien te voir expliquer à Mrs Jones que tu as vu dans un miroir que ton amie était en danger ! Elle te purgerait probablement avec une décoction de séné... La pauvre femme ne croit pas à la magie, même si ça paie ses gages !

— Que faire, alors ? Y passer la prochaine fois qu'on m'envoie faire des commissions ? Ça fait un gros détour, mais si je cours assez vite, je reviendrai peut-être à temps...

Freddy secoua lentement la tête.

— Ça ne servirait à rien. Tu ne peux pas tout simplement entrer et te mettre à feuilleter le registre, n'est-ce pas ? Et comment vas-tu justifier l'emprunt du médaillon ?

Rose se frotta les yeux, fatiguée. Il avait raison.

— Il va falloir y aller de nuit, en cachette, conclut Freddy.

Il avait employé un ton neutre, mais quand elle leva la tête, ahurie, elle vit une lueur d'excitation briller dans ses yeux.

Gus l'approuva gravement.

— Il n'a pas tort.

— Vous êtes fous ? Vous voulez que je pénètre dans l'orphelinat par effraction ?

— Ce ne doit pas être très difficile. Le but est plutôt d'empêcher les gens de sortir, non ?

— Ça marche dans les deux sens, marmonna Rose.

Mais il avait raison. Elle connaissait un moyen d'entrer – s'ils le voulaient.

13

Même si elle détestait cette idée (qu'arrive-rait-il si on les surprenait ? Elle serait ren-voyée et enfermée à l'orphelinat jusqu'à l'âge de quatorze ans, avant d'être expédiée dans une mine, par exemple), Rose fut obligée d'accepter. C'était la seule solution.

— Maudite soit cette fichue Miss Spar-row, dit Gus pendant qu'ils parcouraient le couloir. Sans elle, nous pourrions nous adresser au maître. Mais quand je lui ai parlé, ce matin, il n'a pas écouté un traître mot de ce que je lui disais. Et il n'a pas tra-vaillé cet après-midi. Pas une seconde. Il est juste resté planté devant la fenêtre à sourire bêtement.

Rose repensa à sa première rencontre avec Mr Fountain, à ses yeux bleus, étincelants, qui semblaient tout remarquer. Elle avait du mal à se le représenter en train de rêvasser devant une fenêtre.

— On se revoit demain soir, dès que Susan dormira, la salua Freddy quand ils se séparèrent au pied de l'escalier.

Elle acquiesça et monta jusqu'à sa chambre, à bout de force. En fin de compte, le travail de domestique n'était pas plus pénible que les corvées de l'orphelinat ; mais elle dormait considérablement moins.

* * *

Rose fut réveillée par une secousse brutale de Susan.

— Debout, sale petite paresseuse ! Nous devons allumer les feux. Sors de ce lit !

Tout en se lavant, Rose décida que dès qu'elle aurait réglé le problème concernant Maisie, elle demanderait à Freddy et Gus de l'aider à transformer Susan en quelque chose d'horrible. Ce n'était pas parce qu'elle refusait de parler de ses pouvoirs qu'elle ne pouvait pas en faire usage de temps en temps, après tout !

Quand Rose descendit dans la cuisine, après avoir fait la tournée des cheminées, elle trouva Mrs Jones occupée à lire le journal, une tasse de thé à la main.

— Pauvre gosse. La malheureuse femme doit être folle d'inquiétude.

— Que se passe-t-il, Mrs Jones ?

Rose savait que la cuisinière adorait commenter les nouvelles des quotidiens, avec une nette préférence pour les plus atroces faits divers. Dans la chaleur étouffante de la pièce où les lampes à gaz projetaient de gais reflets sur les casseroles en cuivre, les meurtres les plus tragiques acquéraient la saveur de fables irréelles.

Mrs Jones leva les yeux de sa gazette :

— Une gamine a disparu. Encore une ! Surtout, ne traîne pas dans les rues quand tu vas faire les courses, Rose. C'est dangereux. Et que fait la police, cette bande de poules mouillées ? Vraiment, je me demande ce que nous allons devenir !

Rose jeta un coup d'œil par-dessus son épaule.

Mystère à Kensington
Disparition d'une jeune fille
La police n'a aucune piste

— Il a fallu attendre que les gosses de riches disparaissent pour qu'ils s'inquiètent, pesta Bill en versant la moitié d'un pot de miel dans son porridge. Quatre enlèvements, qu'ils disent ! Plutôt vingt-quatre, oui !

— De quoi parles-tu ? l'interrogea Rose.

Cela confirmait ce qu'elle soupçonnait : Maisie n'était pas la seule à s'être volatilisée. De plus en plus d'enfants étaient dans ce cas. Elle ressentit un grand froid l'envahir, comme si elle regardait à nouveau dans le miroir obscur.

— Des gamins des rues. Ce sont les premiers à avoir été enlevés. Mais qui s'en soucie ? Au contraire, tout le monde est content : c'est plus propre, il n'y a plus de vagabonds qui dorment sous les porches... Ce n'est que quand les chers petits trésors des familles riches sont devenus victimes à leur tour que la police a commencé à s'activer !

Bill remua son porridge avec colère, et Mrs Jones replia son journal.

— Ne dis pas de bêtises ! Tu vas effrayer Rose. Il ne peut pas y en avoir tant que ça, la police serait au courant !

Mais son ton de voix était incertain, comme si elle n'était pas complètement convaincue par ses propres paroles.

Plus tard, au cours de la matinée, Rose parcourut le journal abandonné sur la table, mais n'y trouva rien de plus en dehors d'une description pathétique de la détresse des parents, qui promettaient une énorme récompense à qui leur rendrait leur enfant.

Cette disparition avait-elle réellement un rapport avec celle de Maisie ? C'était trop pour être une simple coïncidence. Elle avait souri intérieurement quand Mrs Jones lui avait donné ce petit sachet d'herbes, mais elle aurait dû prendre son avertissement plus au sérieux. Tous ces enfants... Que leur voulait-on ? Elle frissonna. Freddy avait raison. Il fallait qu'ils pénètrent dans l'orphelinat ce soir même, sans attendre. Ils y trouveraient sûrement un indice quelconque. Peut-être Maisie n'était-elle pas la seule à avoir besoin d'aide... pour peu que les victimes soient encore en mesure d'être aidées.

Pour peu qu'elles soient encore en vie.

* * *

— Tu plaisantes ?

— Bien sûr que non. Qu'est-ce que tu t'imaginais, que nous allions tranquillement traverser la maison jusqu'à l'entrée et tirer tous les verrous au beau milieu de la nuit ? Peut-être aussi saluer le policier en faction sur la place, après être sortis par le portail ?

Debout devant la fenêtre ouverte, bras croisés, Freddy toisait Rose de ses yeux noirs.

— Même ainsi, il va falloir que Gus reste ici pour s'occuper des sortilèges de sécurité.

— Voulez-vous bien vous dépêcher ! leur souffla le chat. La fenêtre essaie de se refermer !

Il était assis sur une petite table à côté d'un très joli vase Ming, et Rose se prit à espérer qu'il y ferait attention. Ses oreilles étaient presque plaquées sur sa tête, et il ne quittait pas le châssis des yeux.

Rose se pencha au-dehors et examina l'allée obscure qui longeait le côté de la maison.

— Mais pourquoi cette fenêtre-là ? Pourquoi pas une du rez-de-chaussée ?

— Parce que celle-ci est entourée de glycine, ce qui nous permettra de descendre, expliqua Freddy patiemment, comme s'il s'adressait à une pauvre d'esprit. Sans compter que Gus ne peut pas ouvrir les fenêtres du rez-de-chaussée. Elles sont encore mieux protégées.

— Je ne vais pas non plus pouvoir garder celle-là ouverte très longtemps ! Cessez de perdre du temps, et allez-y !

L'imagination de Rose lui jouait-elle des tours ou les moustaches de Gus frétillaient-elles, comme chargées d'électricité ?

— C'est facile pour toi, tu n'es pas en robe, se plaignit-elle encore en examinant la plante couverte de fleurs violettes. Et les branches sont si minces !

— Elles sont plus solides qu'elle n'en ont l'air. Enfin, je crois...

Freddy gloussa et récolta un regard furieux :

— Qu'est-ce qui t'amuse tant ? Toi aussi, tu vas devoir descendre par là. Nous pourrions nous rompre le cou !

— C'est une aventure, rétorqua joyeusement Freddy. Un peu comme celles de Jack Jones, le héros des Sept Mers. Il serait en bas en un rien de temps, lui !

— Freddy, c'est un personnage imaginaire. S'il tombait, il perdrait de l'encre, pas du sang !

— Et toi, si tu tombes, tu vas probablement rebondir délicatement. La magie, tu te rappelles ? Il y a une quinzaine de jours, j'ai fait une chute dans l'escalier, et j'ai flotté jusqu'en bas. C'était fantastique. Peut-être que nous devrions sauter, en fait. Oh, allez, Rose, c'est comme grimper à un arbre !

— Je n'ai jamais grimpé à un arbre ! Et je suppose qu'on part du bas, pas du haut...

Rose regarda à nouveau le sol, si noir, si loin, et se recroquevilla.

— Allez-y ! Tout de suite ! haleta Gus. Ça commence à se refermer. Soit vous partez maintenant, soit vous ne partez pas du tout !

Freddy et Rose levèrent les yeux. Le chat avait raison. Le battant de la fenêtre à guillotine glissait vers le bas, lentement, mais inexorablement.

— Bon, je passe en premier, comme ça je pourrai te rattraper si tu tombes, proposa Freddy, très chevaleresque.

— Hors de question !

Rose enjamba le rebord et posa les pieds sur une branche. Elle avait été bien éduquée à St Bridget, et n'avait pas l'intention de donner à quiconque la possibilité d'entrevoir ses dessous. L'odeur douçâtre des fleurs pénétra dans ses narines, et la glycine trembla sous son poids.

— Dépêche-toi ! l'incita Freddy. La fenêtre est sur le point de se refermer. Il faut que j'y aille !

Rose, qui avait commencé sa descente, sentit les soubresauts qui parcoururent la plante quand Freddy s'y accrocha à son tour. *Reste collée au mur, reste collée au mur,* la supplia-t-elle en s'agrippant aux branches et en cherchant à tâtons où poser le pied. Dans sa hâte d'atteindre le sol avant que le poids de Freddy ne fasse tout craquer, elle alla trop vite. Son pied glissa, et elle perdit l'équilibre. *Au secours !*

— Ça va, Rose ?

— Je... je crois...

Miraculeusement, elle n'était pas tombée. Elle avait dû réussir à se cramponner à quelque chose. Elle n'était plus qu'à quelques centimètres du sol, et put poser le pied par terre.

— Freddy... je ne peux plus bouger... Elle me tient...

— Qui ?

Le garçon l'avait rejointe. Grimpeur expérimenté, il atterrit en douceur sur les pavés, avec un sourire narquois qui donna à Rose envie de le gifler.

Elle leva son bras :

— Regarde !

Le sourire de Freddy s'évanouit.

— Oh. C'est toi qui lui as demandé de faire ça ?

Rose baissa les yeux vers les vrilles qui s'étaient enroulées autour de son poignet.

— C'est possible. J'ai failli tomber, et j'ai pensé *Au secours !*

— Et la plante est venue à ton secours. Je vois. Peut-être que tu peux lui dire que tout va bien, et qu'elle peut te lâcher, maintenant ?

Rose se tourna vers la glycine.

— Heu... merci beaucoup...

— Tu n'aurais pas d'autres capacités extraordinaires dont tu voudrais me faire part, avant d'aller plus loin ? Tu sais, au cas où il nous faudrait affronter un monstre, ou toute autre horreur de ce genre ? Que je ne risque pas ma vie pour rien ?

— Je ne sais pas, répondit Rose pendant que les tiges la relâchaient doucement. À moins que... Il me semble avoir vu une statue bouger, sur la place, l'autre jour.

Freddy haussa les épaules.

— Oh, elle fait ça pour tout le monde.
C'était mon grand-père. Il était horrible de
son vivant, et il n'a pas changé. Allez, viens.

Rose le suivit dans l'allée.

— Tu veux dire que c'est vraiment ton
grand-père ? Je pensais que c'était une statue !

Freddy sortit de sa poche une petite lanterne qui s'alluma par magie quand il souffla
dessus.

— C'est bien lui, pétrifié. Il avait peur de
s'ennuyer si on l'enterrait. Tu vois le genre.
Un jour, il m'a obligé à avaler une bille sous
prétexte que c'était un objet magique qui me
ferait taire. J'ai failli mourir étranglé.

Ils traversèrent la place. Il faisait nuit
noire. Savoir qu'une statue à moitié vivante
les observait n'améliorait pas la situation.

Et si on courait ? proposa Rose.

— Surtout pas. Si quelqu'un nous voit, il
va croire que nous avons fait quelque chose
de mal, alors que ce n'est pas vrai... pas
encore. (Freddy leva sa lampe pour déchiffrer
le nom d'une rue.) Si on nous pose des questions, notre mère est malade, et je suis venu
te chercher pour te ramener à la maison,
d'accord ?

Rose hocha la tête. C'était étrange de penser à sa mère, même imaginaire. Chemin faisant, elle se surprit à se demander ce qu'elle avait et à espérer qu'elle guérirait vite.

— Il faut tourner là. On y est presque.

Les portes de l'orphelinat étaient munies de verrous et les fenêtres de barreaux, mais les orphelines savaient qu'il existait un moyen de pénétrer dans le petit jardin de Miss Lockwood. Certaines avaient des frères et sœurs qui, n'ayant pas le droit de leur rendre visite, avaient descellé quelques pierres du mur, de façon à pouvoir y grimper aisément, surtout avec l'aide de quelqu'un. Freddy fit la courte échelle à Rose ; une fois en haut, elle le tira à elle.

— Fais attention au rosier en sautant, l'avertit-elle. Il est plein d'épines. Ne l'abîme pas, je lui dois mon nom.

Freddy lui lança un regard significatif.

— Les deux choses n'ont aucun rapport !

Elle sauta en premier et traversa la minuscule pelouse jusqu'aux fenêtres. Il la suivit.

— C'est fermé ? chuchota-t-il en essayant de se dégager des ronces.

— Seulement par un loquet, il me semble.

Rose sortit un couteau à beurre de la poche de son épais manteau. Elle l'avait emprunté à la cuisine, avec l'horrible quasi-certitude qu'il était en argent massif : elle avait vu Bill l'astiquer. Si on le trouvait sur elle, elle risquait la pendaison. Mais elle n'avait rien déniché de mieux. Elle le glissa entre le battant et le mur et réussit à lever le loquet. La petite fenêtre s'ouvrit, et Freddy l'aida à l'escalader.

— Tu as de la chance d'être si menue, murmura-t-il. Je ne pourrais jamais passer par là. Tu vois quelque chose ?

Rose examina autour d'elle tout en se frottant le côté endolori : quelques semaines de plus chez Mr Fountain, et elle non plus n'aurait pu se faufiler par l'étroite ouverture. Rien d'étonnant à ce que les voleurs commencent leur carrière si jeunes.

Miss Lockwood conservait les dossiers de tous les enfants dans une commode aux nombreux tiroirs. Ils étaient certainement classés selon un ordre précis, mais ne sachant lequel, Rose dut les faire passer un par un.

— Tu trouves quelque chose ? s'impatienta Freddy de l'extérieur.

— Non, souffla Rose. (Elle ouvrit le dernier tiroir : c'était forcément celui-là !) Oh, regarde, mon dossier !

Ses doigts tremblèrent un peu quand elle s'empara du formulaire, mais elle n'y découvrit rien de nouveau. *Enfant de sexe féminin, trouvée dans le cimetière de St John, âgée d'environ un an. En bonne santé. Vêtements brûlés car infestés de parasites. Prénommée Rose.*

Rien d'autre, à part une dernière ligne datée du lundi précédent où Miss Lockwood avait noté *Entrée en service,* suivi de l'adresse de Mr Fountain.

Rose le remit tout de suite dans le tiroir, en ravalant des larmes inattendues. *Vêtements brûlés car infestés de parasites.* Même l'orphelinat n'avait pas voulu de ses guenilles.

Après son dossier venait un autre, avec un nom barré et corrigé. Il y en avait encore quelques-uns en dessous.

— J'ai trouvé les papiers de Maisie ! chuchota-t-elle, tout excitée. C'est écrit « Alberta James », maintenant.

Elle le souleva et passa rapidement en revue les suivants.

— Freddy, regarde ! Maisie n'est pas la seule. Il y en a d'autres. Lily, Ellen, et Sarah-Jane...

Miss Lockwood a rassemblé les dossiers des filles sorties il y a peu. Quatre orphelines retrouvées en moins d'une semaine ? C'est absurde ! Personne ne peut croire une chose pareille !

— Sauf sous l'effet d'un charme.

— Mais les autres doivent s'en être rendu compte ! On ne peut pas leur avoir jeté un sort à toutes, si ?

— Tout dépend de la puissance du magicien, dit Freddy en haussant les épaules. Est-ce que ça dit où elles sont allées ?

— Non, il est juste écrit « Retrouvée par sa famille » sur le dossier de Maisie. (Rose feuilleta les formulaires suivants.) Même chose pour les autres. Pas d'adresses. Pourtant, il semblerait logique qu'on ait noté leurs coordonnées, non ? (Rose se mordilla un ongle et arracha un petit bout de peau.) Lily n'a que quatre ans, Freddy...

Le garçon soupira.

— Prends le médaillon, Rose. Nous ne pouvons rien faire d'autre pour le moment.

Rose retourna près de la fenêtre et ouvrit la vitrine. Le bijou de Maisie reposait dans un coin de l'étagère au velours élimé. Rose eut encore une fois la certitude que pour rien au monde son amie ne l'aurait oublié si elle avait été dans son état normal. Même avec sa chaîne cassée, ce médaillon avait une grande valeur à ses yeux. S'il existait un objet qui pouvait les conduire à Maisie, c'était celui-là.

* * *

Rose serrait sa trouvaille très fort dans sa main, à tel point qu'elle se demandait si les ornements du métal ne risquaient pas de rester imprimés dans sa chair. Ce bijou lui évoquait si nettement Maisie qu'elle avait l'impression qu'elle allait voir son amie apparaître sur sa surface en argent terni.

— Dépêche-toi ! l'incita Freddy en la tirant par la main.

— Pourquoi ? murmura Rose, l'esprit ailleurs.

Elle était encore sous le choc de sa découverte. Trois autres filles disparues, parmi lesquelles la jeune Lily... la dernière fois que Rose l'avait vue, c'était dans un panier à linge, riant à perdre haleine, le jour de la venue de Miss Bridges. Et dire que quelques jours plus tard, quelqu'un l'avait enlevée !

— Rose, écoute-moi !

Freddy la secoua par le bras, et elle se tourna vers lui avec colère : ne comprenait-il pas qu'elle pensait à des choses importantes ?

— Il y a des gens qui nous suivent, chuchota Freddy. Non, ne te retourne pas ! Nous ne sommes plus très loin de la maison. Dès que nous arriverons sur la place, nous nous mettrons à courir. Je ne crois pas qu'ils oseront s'y engager. Marche à vive allure, mais fait semblant de ne rien avoir remarqué. Je n'aurais pas dû utiliser cette lampe magique. C'est sûrement pour ça qu'ils nous ont repérés. Ils doivent croire que nous possédons des objets précieux.

Maintenant qu'elle y prêtait attention, Rose entendait les pas et les chuchotements derrière eux. Leurs poursuivants étaient horriblement proches. Ils continuèrent de la sorte, mais au bout d'un moment, Rose ne put supporter plus longtemps les voix rauques qui semblaient souffler directement dans son cou. Elle se retourna, brandissant le médaillon comme s'il s'agissait d'un fragile bouclier.

— Que voulez-vous, à la fin ?

Les trois enfants en haillons qui les suivaient s'arrêtèrent à quelques mètres d'eux.

— Vous ne nous aurez pas ! glapit une gamine qui devait avoir l'âge d'Isabella. C'est nous qui attaquerons en premier !

Ses grands yeux brillaient dans son visage sale. Elle serrait les poings, tremblante de peur et de colère.

— Tais-toi, Sal !

Un garçon plus âgé se posta devant elle, un couteau à la main. Il fut imité par son petit frère – ils se ressemblaient tant, tous les trois, que force était de conclure qu'ils étaient de la même famille. Le plus jeune n'était armé que d'un bâton, mais semblait déterminé à l'utiliser.

— Où est notre sœur ? rugit le grand. Que lui avez-vous fait ? Monstres ! Conduisez-nous vers elle si vous ne voulez pas être découpés en rondelles !

— De quoi parlez-vous donc ? lâcha Freddy. Laissez-nous tranquilles !

Rose le regarda, choquée par son ton hautain. Elle l'avait tout d'abord détesté, mais elle avait fini par s'habituer à ses grands airs et même à le considérer comme un ami, ou du moins un allié. Soudain, elle le voyait à travers le regard de ces enfants des rues – avec sa chemise d'un blanc éclatant à la lumière de la lanterne, son costume bien coupé, son nœud papillon impeccable. Seul son pantalon était un peu sale au niveau des genoux après son escalade. Il venait vraiment d'un autre monde.

Elle adressa un sourire d'excuse au garçon, mais il lui renvoya un regard si plein de haine et de méfiance qu'elle en fut frappée au cœur, bien plus qu'elle n'aurait pu l'être par le couteau qu'il serrait dans sa main tendue. Elle était *avec* Freddy. Elle était *comme* Freddy : propre, en bonne santé, nettement mieux nourrie que ces vagabonds. Son sourire s'évanouit.

— Je vais le faire ! Pour de bon ! menaça encore le grand d'une voix que la peur rendait stridente.

— Moi aussi ! renchérit la gamine en se précipitant vers Rose, poings levés. Rendez-moi ma sœur ! Ce n'est qu'un bébé !

Freddy essaya de faire reculer Rose jusqu'au mur derrière lui pour la protéger, mais elle le repoussa. La fillette s'accrocha à elle et tenta de la mordre.

— Arrête ! Freddy, aide-moi, elle me fait mal !

Les deux garçons firent quelques pas en avant.

— Rendez-nous notre sœur et nous vous laisserons partir. Vous n'emmènerez pas Sal !

— Qu'est-ce qui te fait croire que nous voulons d'elle ? lança dédaigneusement Freddy.

Il prit la fillette par le poignet et la tint à bout de bras, comme dégoûté. Sal était si maigre qu'il avait l'impression de serrer un bâton remuant.

— Calme-toi ! lui ordonna Rose en essayant de se dégager. Tu te trompes à notre sujet. Arrête de faire ça ! *Aïe !*

La petite avait réussi à lui mordre la main. Rose perdit patience et la repoussa sans ménagement en direction de ses frères.

— Nous ne savons rien au sujet de votre sœur, et nous ne voulons pas non plus de celle-ci ! Tu m'as fait saigner, petite peste !

Sal se releva et cracha dans sa direction, et Freddy s'énerva à son tour :

— J'en ai assez de cette vermine !

Il jeta la lanterne par terre. Aussitôt, un mur de flammes vertes s'éleva tout autour de Rose et lui.

— Tu ne m'avais jamais dit que tu étais capable de faire ça ! s'extasia Rose.

— Et toi, tu ne m'avais jamais dit que tu pouvais parler aux arbres. Reculez, vous autres ! Allez-vous-en ou j'envoie le feu dans votre direction !

Les trois enfants firent quelques pas en arrière, terrorisés. Néanmoins, contre tout espoir, ils ne se résignèrent pas à quitter les lieux.

— Ça prouve que ce sont bien des magiciens, dit le grand à son jeune frère. Ramène Sal à la maison, je reste ici. Vous m'entendez, tous les deux ? Je ne bougerai pas. Il va bien falloir que vous éteigniez le feu pour rentrer chez vous. J'attendrai.

Effectivement, le mur de flammes les protégeait, mais les emprisonnait aussi. Rose donna un coup de coude à Freddy.

— Il a raison, tu sais. C'est un très bon truc, mais nous ne pouvons plus passer...

— En fait, murmura Freddy, ça ne brûle pas vraiment, mais je ne veux pas qu'ils le sachent. Je croyais qu'ils prendraient leurs jambes à leur cou. Pourquoi ne s'enfuient-ils pas ? C'est ce que j'aurais fait, à leur place...

— Ils ont des soucis trop importants, répondit Rose. Dites-moi, lança t-elle en se tournant vers les enfants, quand votre sœur a-t-elle disparu ?

— Vous le savez mieux que nous, assassins !

— Vous nous confondez avec d'autres gens. Quelqu'un a enlevé mon amie, et nous essayons de la retrouver, nous aussi.

Rose s'approcha des flammes et précisa :

— Maisie, de St Bridget, l'orphelinat. Vous nous suivez depuis là-bas, n'est-ce pas ?

Le garçon abaissa légèrement son couteau.

— Ce ne sont pas des filles comme toi qui disparaissent... objecta-t-il.

— Comme moi ? Qui crois-tu que je sois ? Je travaille comme femme de chambre, et je viens de St Bridget, moi aussi !

— Et lui ?

— Il habite dans la maison qui m'emploie, et il m'aide dans mes recherches. Je vous le jure !

— La femme qui a emmené Annie faisait de la magie, elle aussi, objecta la petite, sur la défensive. Je l'ai vue !

— Tu as vu qui l'a enlevée ?

Tout excitée, Rose traversa le mur de flammes sans y prêter attention. Les enfants reculèrent et regardèrent avec effroi le feu qui léchait les chaussures de Rose.

— Formidable, grommela Freddy en faisant disparaître les flammes d'un geste de la main. Maintenant, ils savent que ça ne brûle pas. Mais je peux faire d'autres choses, je vous préviens !

— Non, Freddy ! Tu as entendu ce qu'elle a dit ? Ils l'ont vue ! À quoi ressemblait-elle ? Quelqu'un a emmené quatre filles de l'orphelinat en se faisant passer pour un membre de leur famille. Et il y en a eu plein d'autres ! On a enlevé des enfants pendant qu'ils jouaient au parc. Il y en a même un qu'on a enlevé dans sa propre chambre ; les journaux en ont parlé... Il faut que vous nous disiez ce que vous savez !

L'aîné les regardait avec suspicion, mais il avait cessé de brandir son arme.

— C'était une magicienne, affirma-t-il en détachant chaque syllabe. C'est pour ça que nous avons cru que vous étiez de mèche avec elle : vous vous promenez en pleine nuit, avec cette lumière rien moins que naturelle...

— Elle nous a dit qu'elle ramènerait Annie tout de suite, ajouta Sal. Elle l'emmenait juste pour lui acheter une friandise, il ne fallait pas qu'on s'inquiète.

— Et nous l'avons crue, compléta le garçon en secouant la tête. Je ne sais pas pourquoi. Ça nous a semblé normal, jusqu'au lendemain matin, quand nous nous sommes réveillés sous le pont sans comprendre pourquoi Annie n'était pas avec nous. Sal est la seule à bien se rappeler ce qui s'est passé.

— Elle était belle, décrivit la gamine d'un air d'importance. Et grande. Avec des yeux verts qui brillaient bizarrement.

— Son charme ne devait pas être très au point, constata Freddy.

Rose l'approuva :

— Peut-être pensait-elle que ce n'était pas nécessaire.

Pour une raison inexpliquée, sa colère fut décuplée à l'idée que la kidnappeuse n'avait pas même pris la peine de se faire un déguisement correct devant ces mendiants, parce qu'elle estimait qu'ils n'avaient pas la moindre importance.

— Vous pouvez nous aider à la sauver ? demanda l'aîné, bourru.

— Oui, affirma Rose. Il n'y a aucune chance que deux groupes de personnes différents enlèvent des enfants, pas vrai ? Donc si nous retrouvons Maisie, nous retrouverons Annie en même temps. Et nous avons un plan.

— Qui fonctionnera *peut-être,* précisa Freddy.

Mais Rose reprit :

— Ça marchera. C'est sûr. Je le sens. Le médaillon essaie déjà de me dire où est Maisie. Nous les retrouverons.

Elle regarda Sal et ses frères, dont l'inquiétude reflétait la sienne.

Ça marcherait. Il *fallait* que ça marche.

14

— C'est encore tout noir !

De rage, Rose frappa la table du poing, puis elle porta sa main à sa bouche :

— Aïe !

— Ça ne sert à rien de s'énerver, dit Gus avec un flegme exaspérant.

Rose se retourna brusquement et faillit le faire tomber du meuble. Il ne broncha pas, mais ses oreilles et ses moustaches volèrent en arrière comme sous l'effet d'une bourrasque, et il rentra la tête dans le cou.

— Arrête ! S'il te plaît, arrête ! Ce n'est vraiment pas le moment de jouer les chats raisonnables et je-sais-tout. Trouve un sortilège, fais quelque chose, il *faut* que ça marche ! Je n'ai plus beaucoup de temps. Si Susan entre dans ma chambre pour me réveiller et découvre que je ne suis pas dans mon lit, on me mettra à la porte. Excuse-moi, Gus, ajouta-t-elle en soupirant, je sais que tu es fatigué, toi aussi. Mais tu n'as pas vu ces enfants, cette nuit. Tu ne connais pas Maisie. Comment veux-tu que je reste calme ? J'ai peur !

Gus enfonça ses griffes dans le bois, pensif.

— As-tu envisagé qu'il était peut-être normal que ce miroir reste opaque ?

— Comment ça ?

Intéressé, Freddy leva les yeux du manuel de Prendergast où il relisait les instructions concernant la catoptromancie, au cas où il aurait manqué quelque chose les dix-sept fois précédentes.

— Eh bien, peut-être que Maisie est dans le noir...

Gus jeta un regard inquiet à Rose, craignant qu'elle lui lance quelque chose à la tête, mais elle ne fit que s'affaisser sur une chaise qui par chance se trouvait à côté d'elle : ses jambes venaient de la lâcher.

— Tu veux dire que nous avons tout fait correctement, mais que nous n'obtiendrons rien de plus ? Même avec l'aide du médaillon ? Ce n'est pas possible, Gus. Il nous faut d'autres renseignements !

— Et si nous avions posé la mauvaise question ? suggéra Freddy en délaissant son livre. Depuis le début, nous essayons de trouver où est Maisie. Peut-être qu'on devrait demander autre chose ?

— Quoi, par exemple ?

— Eh bien... qui l'a emmenée, par exemple ? Apprendre l'identité du ravisseur pourrait nous conduire vers ses victimes.

— Nous savons déjà qu'il s'agit d'une magicienne, réfléchit Rose. Oui, essayons, c'est une bonne idée !

— Cette fois, enfile le médaillon au lieu de le garder dans la main, suggéra Gus. Ça te facilitera peut-être l'opération.

Freddy l'aida à nouer la chaîne brisée autour de son cou. Le bijou était chaud, presque vivant, tel un petit morceau du corps de Maisie. La sentir si proche revigora Rose. Elle se pencha sur le miroir avec un espoir renouvelé.

— Qui t'a enlevée, Maisie ? murmura-t-elle.

Le médaillon frémit contre sa peau comme les ailes d'un oiseau minuscule, et un visage apparut soudain sur la glace.

Rose poussa un cri et lâcha brutalement le miroir, aussi horrifiée que si une araignée s'était promenée sur sa main.

Il s'agissait de Miss Sparrow.

* * *

Le miroir s'était fendillé en tombant, mais l'image y était restée imprimée sous le réseau de craquelures qui faisait ressembler sa surface à une toile. Rose osait à peine le regarder : il lui donnait la chair de poule.

Freddy et Gus étaient accroupis sur le sol, penché sur l'objet que personne n'avait voulu ramasser.

— D'accord, je ne l'aimais pas, mais je ne pensais tout de même pas que c'était une kidnappeuse ! s'exclama Freddy.

— Est-ce... Est-ce certain ? demanda Rose d'une voix tremblante.

Gus hocha la tête, les yeux toujours fixés sur l'image.

— Oui. Ta question était parfaitement claire, et la réponse l'est aussi, répondit-il tout en secouant ses moustaches avec irritation. C'est incroyable : même dans une glace, elle est d'une beauté envoûtante. Ce ne peut pas être un simple charme.

— Es-tu jamais allé chez elle avec Mr Fountain ? demanda Rose à Freddy en contournant la table pour ne plus la voir.

— Non. Il lui a rendu visite la semaine dernière, sans moi. C'était leur première rencontre, même si ça faisait quelque temps déjà qu'ils correspondaient. Elle l'interrogeait au sujet de la manière dont il fabrique de l'or. C'est un secret, bien sûr, mais elle voulait utiliser une de ses formules pour faire autre chose, je ne sais pas quoi. Il a juste dit qu'elle était géniale, qu'elle avait des idées entièrement nouvelles. Au début, il avait même l'air un peu inquiet : certaines de ses propositions étaient carrément bizarres. Mais après l'avoir vue...

Freddy haussa les épaules, tourna le dos au miroir, et conclut :

— Je ne sais pas où elle habite, mais ça ne doit pas être très loin d'ici : il y est allé à pied.

Rose bâilla soudain, si fort que sa mâchoire craqua.

— Oooh, je suis tellement fatiguée... Freddy, que faut-il faire avec *ça* ?

Elle désignait le miroir. Gus était encore incliné dessus, fasciné, ses moustaches dangereusement proches du verre. Soudain, il bondit en arrière comme s'il s'était brûlé.

— Une magie puissante, marmonna-t-il en secouant ses oreilles à la manière d'un chat qui a reçu une douche. Très forte. Enivrante...

Sa voix était pleine de regret. Freddy et Rose lui lancèrent un regard de reproche.

— Je sais, je sais... Mais ça fait plusieurs jours que Fountain ne fait pour ainsi dire aucune magie. Or un sortilège réussi sent si bon. J'aimerais bien savoir ce qu'elle trafique...

— Moi aussi, dit Rose. Mais je ne trouve pas que l'odeur soit si bo... (Elle sursauta.) Qu'est-ce que c'était ?

Un frôlement s'était fait entendre de l'autre côté de la porte du laboratoire.

La poignée blanche se mit à tourner lentement.

A priori, tout le monde dormait dans la maison : il était quatre heures du matin. Ce simple fait rendait terrifiant le mouvement de la poignée. Rose recula et retint son souffle. Freddy ramassa le miroir en grimaçant et le cacha derrière son dos. Gus sauta sur la table devant eux, poils hérissés.

Quand la porte ouverte dévoila la petite Isabella en chemise de nuit, une énorme poupée à la main, ils se sentirent tous les trois quelque peu ridicules.

Puis Isabella fit un drôle de sourire, et Rose se demanda s'ils avaient été si ridicules que ça. La fillette referma la porte derrière elle et s'y adossa, toujours souriante. Elle ressemblait à sa poupée : les mêmes boucles blondes, le même visage ovale et rose.

— Vous ne devriez pas être ici, énonça-t-elle gaiement.

— Toi non plus !

La réponse de Freddy avait fusé, mais Rose remarqua qu'il dardait des regards inquiets tout autour de lui, comme si le danger pouvait survenir de n'importe où.

— Mais vous m'avez réveillée ! expliqua Isabella en ouvrant grand ses beaux yeux bleus innocents. Tout ce bruit contre le mur de ma chambre... Vous m'avez fait peur. J'ai cru que c'étaient des voleurs !

— Ne dis pas de bêtise, fit Gus, nullement impressionné. Si tu nous avais vraiment pris pour des voleurs, tu aurais crié comme un putois et tu te serais caché la tête sous l'oreiller.

— Nous sommes passés devant sa chambre ? chuchota Rose à Freddy, qui acquiesça.

Ils avaient dû appeler Gus pour rentrer. Rose avait bien essayé de demander poliment à la glycine de frapper à la fenêtre du premier étage, mais sans résultat. La plante ne s'occupait que des cas urgents, semblait-il. D'après le tremblement des feuilles, Rose avait conclu que sa demande avait été impertinente ; elle s'était platement excusée.

Quand Gus avait enfin répondu, ils n'étaient pas montés dans le plus grand silence. Ils étaient fiers d'être rentrés à la maison sans encombre, et excités à l'idée de tenter une nouvelle session de catoptromancie. Rien d'étonnant à ce qu'on les ait entendus.

Isabella s'adressa à Rose de son ton le plus amical :

— Tu pourrais être renvoyée, tu sais.

— C'est vrai, dit Rose en se demandant ce qu'elle voulait.

Cet assentiment coupa l'herbe sous le pied d'Isabella, mais pour un instant seulement.

— Vous vous êtes donné un rendez-vous galant, tous les deux.

— Non, tu te trompes ! Je veux dire, vous vous trompez, Miss, corrigea Rose à la dernière seconde.

Elle s'était tellement habituée à traiter Freddy comme un égal, qu'il lui était difficile de se rappeler qu'elle était censée vouvoyer Isabella.

— Absolument pas ! confirma Freddy, révolté. Ne fais pas ta prude, Isabella. Ni l'innocente. Ça ne te va pas du tout ! Tu essaies juste d'effrayer Rose.

— Mais je pourrais vous dénoncer, insista Isabella de sa voix chantante. Il suffirait que je pousse un grand cri, et tout le monde accourrait. Vous auriez bien des ennuis, pas vrai ?

— D'accord, d'accord, se rendit Freddy. Que veux-tu ?

— Savoir ce que vous faites. Où êtes-vous allés ?

Freddy lança un regard d'excuse à Rose :

— Il va falloir lui expliquer. C'est une excellente actrice, et totalement dénuée de scrupules. Elle peut te faire renvoyer en moins de deux si ça lui chante.

Loin de se vexer, Isabella eut l'air flattée :

— C'est vrai ! J'ai réussi à me débarrasser de mes deux dernières institutrices, et je donne tout au plus encore deux semaines à Miss Anstruther. Je vise une dépression nerveuse, cette fois, pour varier un peu.

À l'entendre, il était difficile de croire qu'Isabella n'avait que sept ans. Elle avait tout d'une conspiratrice accomplie. Rose commençait à se demander s'il ne serait pas utile de l'avoir dans leur camp.

— Nous essayons de sauver une amie à moi. Enfin, plusieurs enfants, mais il n'y en a qu'une que je connais. Elle s'appelle Maisie. Ils ont été kidnappés par... par une magicienne.

Elle ne voulait pas nommer Miss Sparrow, certaine qu'Isabella ne les croirait pas. Le maître était si amoureux que la rumeur de leur prochain mariage semblait de plus en plus fondée. Elles avaient dû être présentées l'une à l'autre. Mais la fillette leva la tête avec un brusque intérêt et regarda Rose dans les yeux :

— Qui ?

— La Sparrow, avoua Freddy en lui tendant le miroir.

Isabella lâcha sa poupée et s'en saisit avec avidité.

— C'est horrible. Je savais bien qu'il y avait quelque chose de bizarre chez cette femme ! (À la grande surprise de Rose, son visage rayonnait.) Elle veut épouser mon papa, et je ne suis pas d'accord. Elle ne le mérite pas. Maintenant, personne ne peut prétendre que c'est juste de l'égoïsme de ma part, comme l'a dit Miss Anstruther. Pas si c'est une criminelle !

Ses yeux s'étaient durcis comme des diamants. Miss Anstruther aurait de la chance si elle durait encore deux semaines, pensa Rose. De toute évidence, son commentaire avait blessé son élève.

— Mais comment l'arrêter ? objecta Freddy. Elle est... elle est vraiment douée, tu sais. Pas nous.

— Moi, si ! Et je suis sans pitié, tout le monde le dit.

— Mais que pouvons-nous faire ?

Rose s'était efforcée de ne pas geindre, mais sa voix avait pris malgré elle un accent larmoyant : elle était épuisée, avait mal aux jambes, et n'arrivait pas à envisager la suite des événements. Isabella la regarda avec dédain.

— Les domestiques n'ont aucune initiative, et aucune force morale.

La vague de colère qui traversa Rose la réveilla efficacement.

— Ça ne fait qu'une semaine et demie que je suis femme de chambre. J'ose espérer qu'il me reste encore un peu de force morale !

À peine eut-elle proféré cette répartie, qu'elle se mordit les lèvres. Isabella avait la réputation d'être terriblement gâtée. Personne ne la contredisait jamais, pas même son père, qui la considérait comme un ange. Elle risquait de piquer une crise et de réveiller toute la maisonnée. Rose jeta un regard paniqué à Freddy, qui leva les yeux au ciel et arrondit le dos comme pour affronter un orage.

Isabella la dévisagea avec curiosité, les joues légèrement rosies, et sembla effectivement envisager de se mettre à crier, mais finit par y renoncer.

— Ça ne t'inquiète pas que je puisse te faire renvoyer ?

Elle s'approcha de la table et tendit les bras vers Freddy sans même lui accorder un regard. Obéissant, il la prit sous les aisselles et la souleva à bout de bras, comme si elle sentait mauvais, puis l'assit sur la table d'où elle pouvait les dominer. Gus courut s'installer à l'autre extrémité et enroula très précautionneusement sa queue autour de lui, à tel point que Rose se demanda si Isabella la lui avait tirée. Isabella les regarda un par un comme une reine sur son trône, puis fixa son attention sur Rose.

— Tu n'es pas une simple fille de cuisine, fit-elle, accusatrice.

— Non, je suis une femme de chambre, répondit Rose tout en sachant avec précision à quoi Isabella faisait allusion.

— Ne fais pas l'idiote. (Isabella soupira ; elle faisait au moins trois fois son âge.) Tu n'es pas non plus une simple femme de chambre.

Freddy se lassa le premier de leur passe d'armes :

— Elle a plus de pouvoirs que moi. Mais c'est une orpheline, Bella. Ses parents l'ont abandonnée dans un panier à poissons !

Il continuait à trouver ça difficile à admettre : ce n'était pas ainsi que les choses se passaient d'habitude. Les magiciens engendraient d'autres magiciens. Pourtant, songeait Rose, il fallait bien que ça ait commencé quelque part...

— Comme c'est étrange. (Isabella examina Rose de la tête aux pieds.) Je n'aime pas le poisson.

— Moi non plus.

Isabella eut l'air amusée. Elle semblait avoir renoncé à brandir la menace d'un renvoi, et Rose crut même deviner qu'elle appréciait que quelqu'un lui tînt tête, pour une fois. La fillette garda quelques secondes le silence, puis déclara d'un ton ferme :

— Je veux vous aider.

— Pas question ! s'interposa Freddy. Si tu te fais enlever, ton père... Je ne veux même pas imaginer ce que ferait ton père !

Gus aplatit ses oreilles sur sa tête. Freddy et lui étaient les seuls à savoir de quoi était capable Mr Fountain. Rose ne voulait pas de détails – surtout en sachant que Miss Sparrow devait avoir les mêmes pouvoirs.

Mais le pire, c'était qu'elle pouvait peut-être en faire autant elle-même. Cette idée la rendait malade.

15

— Alors, comment allons-nous piéger Miss Sparrow ? demanda Isabella avec férocité.

— Aucune idée ! fit Freddy.

Rose prit la parole :

— Les enfants que nous avons rencontrés tout à l'heure nous ont dit que leur sœur avait été emmenée par une magicienne. C'est aussi une femme utilisant un charme qui a enlevé Maisie. On peut en conclure que Miss Sparrow procède aux enlèvements elle-même. Il faudrait se débrouiller pour la surprendre en train de kidnapper un enfant...

— Et après ? demanda Gus.

— Nous pourrions la suivre, suggéra Rose. Voir où elle emmène ses victimes, et les délivrer.

Gus et Freddy prirent un air dubitatif, mais Isabella approuva :

— Oui, excellent !

— Sauf que nous ne savons pas où la guetter, soupira Rose. Comme dit Freddy, elle doit vivre non loin d'ici : l'orphelinat est proche, et les enfants disparus habitaient tous dans les environs. Mais nous ne pouvons pas surveiller tout le quartier !

Isabella tapa des pieds avec excitation. Pour une fois, elle faisait son âge.

— Comme je viens de le dire, il faut lui tendre un piège. Nous avons besoin d'un appât.

Elle prit son air le plus angélique, celui d'une pauvre enfant sans défense. Malgré elle, Rose songea à un poisson carnivore dont elle avait découvert l'existence à St Bridget, dans un livre intitulé *La Vie des missionnaires*. Il y était plutôt question de leur mort, d'ailleurs.

Gus, qui connaissait Isabella depuis plus longtemps que les autres, comprit le premier.

— Non !

— Pas question, Bella ! confirma Freddy en secouant la tête avec énergie.

— Impossible, appuya Rose.

Mais sa voix était teintée d'admiration : il fallait au moins reconnaître qu'Isabella possédait une bonne dose de courage.

— Expliquez-moi comment vous allez faire, alors ! maugréa Isabella en croisant les bras.

Rose prit une profonde inspiration :

— C'est moi qui servirai d'appât.

Elle n'en avait aucune envie. À l'idée d'autoriser Miss Sparrow à l'emmener, dans un dessein mystérieux mais certainement horrible, son cœur cognait contre les parois de sa poitrine comme s'il essayait d'en sortir. Mais elle n'avait pas le choix. Cette femme avait déjà pris Maisie, Lily, Annie, et tant d'autres encore. Il fallait agir.

— Non et non ! (La crise d'Isabella à laquelle ils avaient échappé tout à l'heure revenait en force.) C'était *mon* idée ! La mienne, à moi !

Elle sauta de la table pour courir vers Rose, poings levés, mais Freddy l'intercepta et lui ferma la bouche pour étouffer ses cris. Gus bondit sur l'épaule du garçon et posa doucement la patte sur le bras d'Isabella qui se débattait. Rose remarqua avec horreur que les ongles de la fillette étaient en train de se muer en griffes.

— Arrête tout de suite, sale gosse mal élevée ! siffla le chat dans son oreille.

Les yeux d'Isabella s'arrondirent, et elle devint écarlate d'indignation.

— Et ne me dis pas que ton père va me faire empailler. Je le connais depuis bien avant ta naissance. Si Freddy te lâche, veux-tu rester un moment silencieuse et m'écouter ?

Isabella hocha la tête à contrecœur. Freddy desserra son étreinte et fit un bond en arrière ; Gus remonta sur la table. Isabella demeura où elle était, tel un fauve pris au piège, toutes griffes dehors.

— Petite peste, dit Gus sur le ton de la conversation.

Elle rugit, et il se tourna vers Rose et Freddy.

— Elle est capable de se défendre, vous savez. Nous devrions la laisser faire. C'est le seul plan qui ait une mince possibilité de fonctionner. Elle est trop jeune pour avoir de grands pouvoirs : avec un peu de chance, Miss Sparrow ne devinera pas ce qu'elle est.

— Mais n'avez-vous pas été présentées quand elle est venue déjeuner, l'autre jour ? objecta Rose. Je suis retournée à la cuisine après avoir nettoyé les dégâts, donc je n'ai rien vu. Elle ne va pas kidnapper une enfant qu'elle connaît !

Freddy se mit à rire.

— Mr Fountain est allé chercher Bella pour lui faire rencontrer sa future belle-maman, mais Isabella n'était pas d'accord. Nous avons même eu la visite d'un policier : un voisin a cru qu'on égorgeait quelqu'un...

Isabella secoua ses jolies boucles :

— Je refuse qu'elle devienne ma belle-mère ! Je ne serai pas polie avec elle, et je n'irai pas prendre le thé en sa compagnie. Je ne veux pas qu'ils se marient !

Sa voix était pleine de larmes. Rose surveillait ses mains, et elle remarqua que les griffes poussaient toujours, s'enfonçant dans ses poings serrés. La fillette ne s'en était pas rendu compte.

— Arrête ! cria Rose en lui saisissant les deux mains. Tu vas te faire mal !

Isabella sursauta et baissa les yeux avec désarroi sur les marques sanglantes en croissants de lune qui étaient apparues sur ses paumes. Elle fut secouée par un sanglot. C'était la première fois qu'elle se conduisait comme une petite fille ordinaire.

— Elle ne l'épousera pas, d'accord ? promit Rose. Je te le jure. Mais ne refais pas ça.

Isabella renifla et laissa les manches brodées de sa chemise de nuit recouvrir ses mains, comme pour cacher ce qu'elle avait fait. Puis elle s'appuya brièvement contre Rose. Celle-ci la regarda avec surprise. Le contact n'avait duré que quelques secondes, mais Rose se rendit compte qu'Isabella en avait grand besoin. Elle n'avait jamais éprouvé de sympathie pour la fillette auparavant, au contraire, mais, maintenant, elle commençait à avoir pitié d'elle. D'une certaine manière, elle semblait encore plus seule au monde que Rose elle-même.

* * *

Au matin, Rose avait l'impression qu'une épaisse soupe circulait avec difficulté dans ses veines à la place du sang. Les deux heures pendant lesquelles elle avait dormi n'avaient fait qu'empirer les choses. Elle n'arrêtait pas de laisser tomber des objets, comme si ses doigts ne lui appartenaient plus, et, lorsqu'elle s'agenouilla pour allumer le feu dans la chambre de Mr Fountain, elle se réveilla Dieu sait combien de minutes plus tard et le découvrit debout au-dessus d'elle, magnifique dans sa robe de chambre en cachemire et ses chaussons turcs écarlates au long bout pointu. Les chaussons se trouvaient à côté de sa joue quand elle avait piqué du nez sur son tablier, et elle fut incapable de comprendre ce qu'étaient ces étranges choses rouges à pompons... jusqu'à ce qu'elle lève les yeux et recule précipitamment à quatre pattes, prise de panique.

— Te fait-on travailler trop dur, chère enfant ? demanda doucement Mr Fountain, amusé.

Malgré sa peur, Rose ne put s'empêcher d'être désolée pour son maître. Comme c'était affreux que quelqu'un comme lui ait pu tomber amoureux de Miss Sparrow ! Il avait l'air si heureux... Il balaya de la main ses excuses et s'assit dans un grand fauteuil près de la fenêtre avec un livre presque aussi énorme sur ses genoux. Mais au lieu de se plonger dans sa lecture, il laissa son regard errer sur le spectacle de la rue en fredonnant.

Rose réussit à allumer le feu – il lui fallut six allumettes, un terrible gâchis – et se sauva.

Heureusement, la participation d'Isabella à leur conspiration rendait les choses un peu plus faciles. En revenant de sa promenade matinale en compagnie de Miss Anstruther, la jeune maîtresse demanda à Susan de lui envoyer Rose pour l'aider à nettoyer et réorganiser sa collection de coléoptères. Miss Anstruther, qui ne semblait pas se passionner pour les insectes, avait l'intention de faire une petite sieste.

Ce que désirait Isabella avait tendance à s'accomplir. Rose ôta donc avec soulagement son tablier et laissa Bill continuer seul à cirer les chaussures. Maussade, il suggéra qu'Isabella vienne admirer les scarabées noirs de la lessiveuse, mais Rose jugea qu'ils étaient probablement trop communs pour être collectionnés.

— Ah, enfin ! s'exclama Isabella quand Rose ouvrit la porte. (Elle l'attrapa par le bras et la tira à l'intérieur.) Ça fait une éternité que nous t'attendons !

Freddy, qui bâillait, et Gus, qui dormait sur ses genoux, étaient assis sous la fenêtre.

— Aide-moi à prendre les coléoptères, ordonna Isabella en grimpant sur une chaise devant une énorme armoire pleine de jouets.

Rose saisit avec une moue de dégoût la boîte au couvercle en verre qu'on lui tendait.

Ces bêtes-là n'étaient pas aussi affreuses que les araignées, mais elle n'en raffolait pas vraiment.

— Est-il bien nécessaire de les sortir ?

— Oui, au cas où quelqu'un entrerait. Et il y a *toujours* quelqu'un qui vient vérifier ce que je fais. Donc, récapitulons : toi, tu es là pour m'aider à nettoyer les compartiments, et Freddy m'a apporté un livre sur les insectes parce que j'ai du mal à identifier celui-là.

Elle sauta de la chaise dans un froufrou de dentelles et désigna un grand insecte à pois rouges et aux cornes imposantes.

— Vraiment ? s'étonna Rose en s'essuyant inconsciemment les mains sur sa jupe.

Isabella soupira avec impatience.

— Bien sûr que non, bécasse ! C'est un magnifique mycophage américain, *Mycetina perpulchra.* Mais Miss Anstruther ne sait pas ça, hein ? Pas si j'enlève l'étiquette. Quant aux domestiques, elles partiraient en courant comme tu as eu envie de le faire. Tiens ton plumeau à la main ; toi, Freddy, viens ici, ouvre ce livre, et prends ton air ahuri habituel. Voilà ! Si quelqu'un entre, nous sommes tranquilles. (Elle s'assit sur la chaise et croisa les mains comme une femme d'affaires.) Gus, ne mange pas mes insectes. Alors, où va-t-on tendre ce piège ?

Rose était un peu étourdie par cette assurance. Était-ce dû à son talent naturel, à son éducation, à sa plus longue nuit, ou aux trois ensemble ? En tout cas, Isabella semblait aussi décidée qu'organisée. Papier et crayon à la main, elle dressait une liste de tous les endroits possibles.

— Le parc, peut-être ? Ou est-ce un peu trop facile ?

Rose fit un effort pour se réveiller un peu.

— Je crois que l'un des enfants a été enlevé alors qu'il traversait le parc pour rentrer chez lui, d'après les journaux. Il y a donc des chances qu'elle y retourne.

— Parfait ! Je ferai semblant de m'être égarée. Elle m'emmènera chez elle, je m'enfuirai, je délivrerai tout le monde, et je serai une héroïne.

— Formidable, marmonna Freddy. Je suis content de voir que tu as tout prévu. Je retourne au lit.

— Je vais peut-être avoir besoin d'un peu d'aide... admit Isabella.

— Il faudrait que Freddy et moi te suivions, pour voir où elle a enfermé les autres et te faire sortir de là, précisa Rose, qui refusait d'envisager que Miss Sparrow n'ait pas emprisonné les enfants, qu'elle n'en ait pas eu besoin.

Plus le nombre de victimes augmentait, plus il devenait vraisemblable que l'obscurité et le froid du miroir signifiaient la mort. Elle secoua la tête.

— Isabella, crois-tu que ton institutrice t'autoriserait à sortir seule avec Freddy ? Sans elle ?

— Si j'insiste suffisamment... répondit Isabella avec un petit sourire cruel.

— Et toi ? demanda Freddy. On me laissera peut-être partir avec Isabella, mais pas toi, Rose.

— Même si Isabella l'exige ? On ne pourrait pas improviser une chasse aux scarabées, par exemple ? Je porterai le filet, ou ce que vous voulez...

— Un pique-nique ! Elle peut être chargée du panier, Freddy ! (Isabella sauta de joie sur sa chaise.) Oh oui, oh oui ! J'adore les piqueniques !

Elle se calma un peu devant le regard furieux des deux autres, mais à peine.

— Eh bien quoi ? Il faut que je prenne des forces, si je dois être kidnappée. Je suis sûre que Miss Sparrow ne donne que du pain sec et de l'eau à ses prisonniers, ou quelque chose d'horrible, comme de la semoule. Ce serait bien son genre !

— Il va falloir que je m'installe dans le panier, ajouta Gus, résigné. Vous pouvez justifier la venue de Rose, mais pas la mienne. Fais en sorte qu'il y ait des sandwichs au poisson fumé, Rose.

— Et certains *sans* poisson, pour qu'il reste quelque chose quand nous arriverons au parc ! ajouta Isabella en levant les yeux au ciel.

* * *

— Se cacher ainsi sous un buisson est indigne de moi, se plaignit Gus. Sans compter que les feuilles sont humides.

— Chut ! lui intimèrent en même temps Rose et Freddy.

— Oh, taisez-vous donc ! chuchota Isabella par-dessus son épaule. Vous voulez que tout le monde vous entende ?

— Es-tu perdue, ma petite ?

Une vieille femme de courte stature s'était arrêtée devant le banc où Isabella était assise, seule et désolée. Son attitude était très crédible, et elle leur avait certifié qu'elle saurait pleurer sur commande. Ils n'avaient pas songé que d'autres gens pourraient en toute sincérité s'inquiéter pour Isabella. Freddy et Rose examinèrent la vieille dame à travers les feuilles, soupçonneux, mais elle ne ressemblait en aucune façon à une magicienne porteuse d'un charme.

— Non, merci, tout va bien, répondit fermement Isabella.

— Mais la nuit est sur le point de tomber ! Tu n'es pas toute seule, j'espère ? Tu dois être accompagnée par ta maman, ou ta bonne...

La vieille dame regarda autour d'elle comme dans l'espoir de voir la mère de cette enfant surgir des branchages, et Isabella murmura :

— Qu'est-ce que je fais ?

— Oh, pour l'amour de Dieu ! jura Gus dans sa moustache.

La vieille femme essayait déjà d'attirer l'attention d'un policier en faisant des signaux avec son ombrelle. Rose, qui était en train de caresser le chat, sentit le petit corps grandir sous ses mains et la douce fourrure devenir plus rêche. Un énorme chien-loup noir sortit des buissons et s'assit à côté d'Isabella ; quand la passante se retourna, elle poussa un cri de frayeur en se retrouvant nez à nez avec un animal dont les crocs longs et pointus se trouvaient juste à la hauteur de son visage.

— Je promène mon chien, expliqua Isabella. Il cherchait des lapins, je crois. C'est un grand chasseur, vous savez. Le problème, c'est qu'il n'est pas très obéissant. Pas du tout, même.

Gus laissa pendre une langue écumeuse d'au moins vingt centimètres de long entre ses mâchoires et renifla l'ombrelle. Isabella soupira et secoua la tête :

— Quand il a décidé de poursuivre quelque chose, on peut l'appeler tant qu'on veut, il ne revient pas !

La vieille dame recula à petits pas, puis empoigna ses jupons et se mit à courir sans se retourner. Isabella éclata de rire.

— Oh, Gus, petit malin ! C'était la chose la plus drôle que j'aie jamais vue. Surtout que c'était cette vieille casse-pieds d'en face, celle qui a dit un jour à papa qu'il devrait me mettre dans un couvent !

C'est alors que Rose sentit une main effrayée lui agripper l'épaule. Un chuchotement anxieux s'éleva :

— Gus, cache-toi, c'est elle, elle arrive !

Freddy avait raison. Une grande jeune femme dont la jupe de soie noire balayait le sol avançait sur le chemin. La couleur de sa tenue n'expliquait pas entièrement la sensation de noirceur qui s'empara de Rose quand elle vit Miss Sparrow approcher. Le médaillon de Maisie sembla grandir dans sa main, et elle le serra avec force, craignant, de façon irrationnelle, qu'il ne révèle d'une manière ou d'une autre leur cachette à la magicienne.

En une seconde, Gus se transforma en un minuscule chat noir et se faufila dans les fourrés. Isabella fut parcourue d'un tremblement – Rose voyait son dos derrière le fer forgé du dossier du banc – mais sortit bravement un mouchoir brodé de sa poche et y enfouit son visage.

— Ma chère enfant, puis-je t'aider ? Serais-tu perdue, par hasard ?

Miss Sparrow s'était plantée devant Isabella et l'examinait de près. Sa voix était mielleuse, à tel point que Rose eut l'impression qu'un liquide poisseux coulait dans son dos. Elle percevait le charme utilisé par la femme sous la forme de tintements de cloches mal accordées.

— Je... je ne sais pas, sanglota Isabella. Ma bonne s'est arrêtée pour discuter avec un gardien devant la caserne, et suis partie parce que j'en avais assez d'attendre, et parce qu'elle m'avait promis d'aller au parc, sauf que je ne suis pas sûre que c'était dans *ce* parc, et je sais que j'habite tout près d'ici, mais je ne sais pas où !

C'était mot pour mot le mensonge sur lequel ils s'étaient mis d'accord. Rose et Freddy échangèrent un regard de soulagement : Isabella n'avait pas décidé de broder, comme ils le redoutaient.

— Oh, pauvre petite ! roucoula Miss Sparrow. Ne t'inquiète pas, je suis sûr qu'on peut retrouver ta bonne. Viens avec moi, nous allons la chercher. À moins que tu ne connaisses ton adresse ? Ma voiture m'attend de l'autre côté du parc ; je peux te ramener directement chez toi.

Isabella continua à sangloter et à bredouiller des mots incohérents, et Miss Sparrow se lassa de la consoler. Elle posa doucement sa main sur la nuque d'Isabella et lui ôta son mouchoir.

— Ton mouchoir est trempé, ma chère petite ! Tiens, prends le mien, il est tout propre.

Ce disant, elle tira un tissu de sa manche et le plaqua sur le visage d'Isabella. Celle-ci eut juste le temps de jeter un coup d'œil affolé en direction des buissons avant de baisser les paupières et de s'affaisser dans les bras de la magicienne.

— Voilà, chère enfant. Je vais t'emmener à la maison... (Elle sourit et suivit le regard révélateur d'Isabella.) Je vais *vous* emmener, toi et les petits amis, ajouta t elle.

16

La cave était plongée dans les ténèbres – des ténèbres épaisses, noires, presque palpables, nullement comparables à la nuit qui régnait dehors, où même le brouillard de Londres laissait souvent passer le miroitement d'une étoile.

Et elle empestait. Il ne pouvait pas en être autrement, quand de nombreux enfants étaient contraints d'utiliser le même seau. Lorsque Miss Sparrow les avait jetés dans cette obscurité puante, Rose avait eu un haut-le-cœur.

— Pourquoi n'êtes-vous pas venus me sauver ? se plaignit Isabella. Vous n'avez pas respecté le plan !

— Bella, le plan ne prévoyait pas qu'elle nous sorte des buissons par la peau du cou ! s'énerva Freddy. Au moins, Gus a pu s'échapper, lui. J'espère qu'il réussira à rentrer à la maison.

Sans prêter attention à leur dispute, Rose ouvrait grand les yeux dans le noir pour essayer de distinguer les autres enfants, dont elle percevait les respirations rapides, effrayées.

— Qui est là ? chuchota-t-elle. Maisie ? Lily ?

Le silence fut rompu par une exclamation, et quelqu'un s'approcha.

— Rose ?

La voix de Maisie était chevrotante, à la fois incrédule et horrifiée.

— Oh, Rose, elle t'a attrapée aussi ! Et moi qui espérais que tu serais en sécurité, dans ta belle maison !

— Rose ! C'est Rose ! (D'après le bruit, Lily devait être en train de sauter à pieds joints sur place.) Sarah-Jane, Rose est là ! Ellen, tu as entendu ? Annie, c'est mon amie Rose !

— Nous sommes venus vous délivrer, avoua faiblement Rose.

Elle se sentait ridicule. Elle s'était imaginé un sauvetage grandiose, avec un feu d'artifice de sortilèges à la suite duquel Miss Sparrow serait enfin vaincue. Au lieu de ça, ils avaient été eux-mêmes capturés et dépendaient à présent du bon vouloir d'un chat certes intelligent, mais peu fiable. Et même si Gus décidait de les aider plutôt que se ranger aux côtés de Miss Sparrow dont la magie l'attirait tant, comment pouvait-il agir ?

— Je suis allée te rendre visite à l'orphelinat, mais tu n'étais pas là. Miss Lockwood m'a raconté une histoire absurde selon laquelle tu t'appelais en fait Alberta, mais tu avais laissé ton médaillon. C'était si peu vraisemblable...

— Je l'ai crue, Rose, chuchota Maisie d'une voix à peine audible. Elle m'a dit que j'étais sa fille ; elle avait l'air si contente de me voir. Et quand je lui ai parlé du bateau et de la fontaine, elle s'en souvenait !

— C'était un mensonge. Je n'aurais jamais dû inventer cette histoire, Maisie. Elle n'avait plus qu'à te cueillir. Je suis vraiment désolée. Et maintenant, je ne peux même pas te sortir de là !

— Ne culpabilise pas, Rose, la consola Ellen. Tu ne nous avais raconté aucune histoire, et ça n'a rien changé. Nous l'avons crue, nous aussi.

Rose saisit à tâtons la main de Maisie, plus maigre et osseuse que jamais.

— Est-ce qu'elle vous nourrit ? demanda-t-elle avec inquiétude, oubliant qu'elle aurait dû dire « nous ».

— Il le faut bien, intervint une voix bourrue, masculine. Elle veut que nous restions forts.

— Pourquoi ?

Il y eut une pause, comme si personne n'avait envie de lui répondre. Puis un chuchotement lui parvint de l'autre extrémité de la pièce. Les yeux de Rose s'étaient un peu habitués à l'obscurité, et elle crut remarquer qu'il s'agissait d'une fille couchée sur un tas de chiffons. Sa peau, aussi blanche que du lait, brillait presque dans le noir.

— Le sang, souffla-t-elle, le mot semblant résonner comme un écho dans la cave. Elle nous prend notre sang.

Isabella émit un grognement dégoûté.

— Pour quoi faire ?

— Amy a raison, confirma Maisie. Elle l'utilise pour un maléfice quelconque. (Rose sentit sa main trembler.) J'ai compris ça le jour où je suis arrivée ici. Quand j'ai passé la porte, elle a changé, Rose, si vite ! On aurait dit quelqu'un d'autre. C'est difficile à admettre, mais même son visage était différent !

Il y eut un mouvement dans le noir, comme si Freddy et Isabella échangeaient un regard.

— Je te crois, dit Rose, sombre.

— Auparavant, quand elle prétendait être ma mère, elle était moins maigre, j'en suis certaine. Et sa voix était plus agréable, plus douce. Elle m'a serrée dans ses bras, Rose. C'est à ce moment-là que je l'ai vraiment crue. Je ne pensais pas que quelqu'un pouvait me câliner comme ça et me dire ces choses-là sans être sincère !

La main de Maisie était brûlante, à présent, tant l'orpheline était prise par la fièvre de son histoire.

— C'est la reine des charmes, soupira Freddy. Et une excellente menteuse, par-dessus le marché.

Maisie demeura silencieuse, et Rose comprit qu'elle se demandait qui avait parlé. Elle tapota le bras de son amie pour la rassurer :

— Maisie, je te présente Freddy, l'apprenti de mon maître. Mr Fountain est un magicien, et il est amoureux de Miss Sparrow. Follement amoureux. Il veut l'épouser.

Il y eu une vague de rires et de chuchotements.

— Je lui souhaite bien du plaisir, fit Maisie, ironique. Elle va le manger tout cru !

— Non ! Non et non ! Je ne la laisserai pas faire !

Rose aurait presque juré qu'Isabella crachait des étincelles. Elle attrapa la fillette qui commençait à brailler avant que celle-ci ne se roule par terre.

— Et voici la fille de mon maître... Assez, Isabella ! À quoi ça sert de crier comme ça ?

— Fais-la taire, elle va attirer la sorcière ! dit un garçon.

Freddy et Isabella se figèrent, choqués, et Rose se rendit compte qu'elle n'avait jamais entendu quelqu'un employer ce mot chez Mr Fountain. On parlait toujours d'alchimiste ou de magicien, pas de sorcier. De toute évidence, ce terme n'était pas considéré comme poli. Elle trouva assez drôle que cela les offusque encore, étant donné les circonstances, mais au moins l'indignation avait stoppé net la crise d'Isabella.

— Bientôt, vous ne serez plus là pour vous soucier de lui, prédit Amy d'une voix ténue, fragile, et pourtant amusée.

— Amy est la première à être arrivée, chuchota Maisie. Elle a déjà été emmenée en haut quatre fois. Elle pense qu'elle ne résistera plus très longtemps.

— Alors, que s'est-il passé quand elle t'a conduite ici ? reprit Rose.

Elle n'avait pas vu grand-chose de la demeure de Miss Sparrow : il faisait déjà nuit lorsqu'ils étaient arrivés, et la femme les avait traînés directement de la voiture à la cave.

— Quand la porte d'entrée s'est refermée derrière moi, j'étais si contente ! Elle m'avait dit que mon père m'attendrait à la maison. Il n'était pas dans le hall, donc je me suis retournée pour lui demander où le trouver, et c'est là que j'ai vu son visage. On aurait dit un monstre. Blanc, avec des yeux brillants, durs et noirs, comme du charbon. Elle m'a tirée jusqu'à une pièce pleine de bocaux, de bouteilles, de lampes à alcool, et elle a pris un couteau. J'ai cru qu'elle était folle et qu'elle allait me tuer. Mais elle m'a juste entaillé le poignet et a laissé le sang couler dans un bol.

— Elle n'en avait plus. Elle nous avait vidés, et elle en voulait d'autre. Elle a besoin de sang frais.

Dans le noir, le ricanement d'Amy ressemblait à celui d'un fantôme – ce qu'elle était d'ailleurs presque devenue.

— Quand je me suis réveillée, poursuivit Maisie, j'étais ici, et mon poignet était bandé. J'ai dû m'évanouir. Je pouvais à peine bouger ; c'était comme si toute mon énergie était partie en même temps que mon sang.

— Mais qu'en fait-elle ?

Rose avait dû se forcer à formuler cette question, elle n'avait aucune envie d'entendre la réponse, mais il fallait qu'elle sache.

— Je crois... je crois qu'elle le boit, hasarda Maisie.

Isabella se serra contre Rose.

— Beurk ! Ce n'est pas possible ! Ce serait du cannibalisme. C'est horrible !

Freddy émit soudain un petit « ah ! » de satisfaction et tendit une main en avant. Il tenait un calot contenant une magnifique spirale multicolore ; la bille brillait doucement, assez pour qu'on voie les veines rouges de ses doigts. Avant d'en être privée, Rose n'avait jamais imaginé à quel point la lumière était réconfortante. Tout le monde poussa un soupir de soulagement et avança un peu ; il se forma ainsi un petit cercle d'enfants serrés les uns contre les autres, les yeux fixés sur la minuscule lueur.

— Un apprenti magicien ! murmura Amy. Je ne t'avais pas crue, tout à l'heure.

La lueur révélait sa peau, aussi fine et pâle que du papier.

— Je ne sais pas encore faire grand-chose, confessa timidement Freddy, mais je suis plutôt doué pour tout ce qui concerne les lumières, les flammes, ce genre de choses. Il m'a juste fallu un certain temps pour trouver un objet qui puisse servir de lampe.

Maintenant que c'était possible, Rose regarda autour d'elle. Il y avait quinze enfants, sans la compter. Lily était la plus jeune, et Amy probablement la plus âgée – mais peut-être cette apparence était-elle due à son épuisement.

Lily se tenait à côté d'une autre fille presque aussi petite qu'elle ; il s'agissait certainement d'Annie, la sœur de Sal et des deux garçons. Toutes les deux suçaient leur pouce et s'adossaient à une plus grande, vêtue d'une chemise de nuit en lambeaux. Ce devait être celle dont il avait été question dans les journaux, enlevée dans son propre lit.

— Je n'aime pas la magie, maugréa le garçon à la voix bourrue en regardant la lumière

avec un mélange de méfiance et de soulagement.

Il portait une livrée semblable à celle de
Bill, et Rose aurait parié que c'était son ami
Jack. Il n'était donc pas allé s'enrôler dans un
cirque, en fin de compte.

— La magie n'est pas toujours négative,
protesta-t-elle.

— Rose a des pouvoirs, elle aussi ! déclara
fièrement Maisie. Elle sait faire apparaître
des images !

— C'est elle qui a découvert l'identité de ta
kidnappeuse, ajouta Freddy. Elle t'a cherchée
dans un miroir. Elle est douée.

— Oh, Rose ! soupira Maisie, reconnais-
sante.

— Je ne comprends toujours pas ce qu'elle
veut, reprit Rose pour changer de sujet. Si
seulement Gus était là ! Tu n'as vraiment
aucune idée, Freddy ? Il n'y aurait pas un
indice dans les lettres qu'elle a échangées
avec Mr Fountain ?

Freddy fronça les sourcils, fouillant dans
sa mémoire.

Brusquement, il y eut un bruit de verrous
tirés, et la porte s'ouvrit. Miss Sparrow se
tenait sur le seuil, une lanterne à la main.

Ainsi entourée d'ombre, avec la lueur de la qui se reflétait de façon sinistre dans ses yeux noirs, elle était presque hideuse.

Heureusement, Freddy avait remis la bille dans sa poche en entendant le bruit, et Miss Sparrow ne parut rien avoir remarqué. Elle entra dans la cave et leva sa lampe pour examiner les enfants un par un, puis elle se baissa et saisit brutalement Amy par le bras. Incapable de se tenir debout, Amy se retrouva suspendue au bout de sa main comme une poupée de chiffon. Elle ne se plaignit même pas, mais les autres s'en chargèrent à sa place :

— Pas elle ! cria Sarah-Jane dans le brouhaha. Vous allez la tuer ! Vous ne voyez donc pas qu'elle est déjà à moitié morte, maudite sorcière ?

Freddy courut vers Amy pour essayer de l'aider, mais Miss Sparrow le repoussa d'une gifle monumentale qui l'envoya rouler sur le sol. Il se redressa, haletant ; un filet de sang coulait de son nez. La femme le regarda d'un air affamé. Rose, qui frissonna de la tête aux pieds en la voyant se pourlécher les lèvres de sa langue pâle et pointue, donna son mouchoir à Freddy.

— Ne le gaspille pas, ne le gaspille pas !
chuchota Miss Sparrow pour elle-même, sans
se rendre compte que les enfants l'écoutaient.
Le sang d'apprentis magiciens... Trois d'un
coup, c'est inespéré ! Du sang plus fort... Ce
pourrait être ce qu'il me faut. J'essaierai plus
tard... Après celle-ci... C'est peut-être elle, la
clef...

Elle sembla revenir à elle et dit avec un
sourire diabolique en direction de Rose,
Freddy et Isabella :

— Votre tour viendra.

Elle se lécha à nouveau les babines en
jetant un dernier coup d'œil au mouchoir
ensanglanté dans la main de Rose, puis elle
tira Amy vers la porte, qui se referma derrière elle.

Freddy attendit quelques secondes avant
de sortir le calot luisant de sa poche.

— Je n'arrive pas à croire qu'elle ait encore
pris Amy, se désola la fille en chemise de
nuit. Pourquoi ? Ce n'est pas comme s'il lui
restait beaucoup de sang. Elle peut à peine se
tenir debout !

— Alice a raison, ça va la tuer, approuva
Maisie, le cœur serré.

Les autres hochèrent la tête.

— Pourquoi ne pas prendre l'un d'entre nous ? demanda Jack avec colère. Au moins, nous ne risquons pas de mourir et de salir son joli petit laboratoire !

Rose poussa un gémissement. Elle venait d'avoir une pensée horrible, et comprit trop tard qu'elle aurait mieux fait de ne pas le faire remarquer.

— Quoi ? demanda Freddy, serrant toujours son nez d'une main.

Rose les regarda tous d'un air malheureux et chuchota :

— Peut-être... peut-être qu'elle *veut* qu'Amy meure.

17

Rose garda les yeux baissés vers le sol poussiéreux de la cave pour ne pas croiser le regard de ses compagnons de captivité. Elle avait presque honte d'avoir pensé une chose aussi terrible, et encore plus de l'avoir formulée à voix haute.

Freddy fut le premier à réagir :

— Pourquoi donc voudrait-elle qu'Amy meure ?

— Elle a dit qu'Amy était peut-être la clef, comme s'il elle avait quelque chose de différent, quelque chose de spécial. Mais la seule chose qu'elle ait, c'est... d'être proche de la mort, justement. Et si ça se trouve, c'est ce que recherche Miss Sparrow. Elle boit du sang, n'est-ce pas ? (Elle lança un regard interrogateur aux autres, qui hochèrent la tête.) Pour un maléfice ? Peut-être pense-t-elle

que le sang de quelqu'un en fin de vie est différent. Qu'il a plus de valeur. La dernière
goutte de sang d'Amy...

Sa voix s'éteignit.

— C'est horrible ! s'indigna Isabella.

— Je crois qu'elle a raison, dit Jack en
fronçant les sourcils pour mieux rassembler ses souvenirs. Un jour, pendant qu'elle
me prenait mon sang, elle a marmonné
quelque chose au sujet d'une *nouvelle vie*.
Elle devait croire que j'étais évanoui, ou
alors elle se fichait que je l'entende, je ne
sais pas. Elle regardait le liquide couler
dans un bol en argent comme si elle en
comptait chaque goutte. C'est à ce moment-
là qu'elle a dit ça.

— À mon avis, tu es sur la bonne voie,
Jack, affirma Maisie.

Les autres approuvèrent, et Freddy secoua
lentement la tête :

— Et si Amy meurt pendant le prélèvement, Miss Sparrow pense que son souffle
vital sera absorbé par le sang qu'elle lui
vole... Vous aviez raison, c'est une vraie sorcière !

— Donc... vous croyez qu'elle essaie d'exis-
ter pour toujours ? demanda Rose, stupéfaite.

— Voilà pourquoi elle s'en prend à des enfants ! comprit Jack. Ce n'est pas seulement qu'ils sont plus facile à enlever, c'est parce qu'il leur reste plus longtemps à vivre !

— La vie éternelle, dit Freddy. C'est l'un des deux grands mystères auxquels les alchimistes se sont consacrés depuis des siècles. Le premier, c'est comment changer de vils métaux comme le plomb en or ; celui-là, ils l'ont résolu, et c'est ce que fait notre maître. L'autre, c'est le secret de la vie éternelle. Personne ne l'a jamais trouvé – ou alors ils l'ont emporté dans leur tombe...

Il gloussa, puis se rappela où il était et ravala son ironie.

— Excusez-moi. Enfin, bref, c'est LA grande interrogation, maintenant. Et ce n'est qu'une question de temps avant que quelqu'un n'en vienne à bout. Ce doit être pour ça que Miss Sparrow s'est adressée à Mr Fountain. Elle a dû penser que puisqu'il faisait partie des alchimistes ayant réussi à fabriquer de l'or, il pourrait aussi l'aider sur ce point.

— Ton maître fabrique de l'or ? demanda Maisie à Rose en ouvrant des yeux grands comme des soucoupes.

Rose haussa les épaules.

— Il paraît. Je ne l'ai jamais vu faire, cela dit.

— Oh, oui, il en fabrique, leur certifia Freddy. Ce n'est pas si difficile que ça, en fait. (Il sembla soudain frappé par une nouvelle idée.) Voilà pourquoi il nourrissait des doutes à son sujet ! Elle a dû évoquer quelques-uns de ses projets au cours de leur correspondance. Fountain est peut-être un vieil ours avec ses apprentis, mais il n'accepterait jamais de boire du sang.

— Eh, je te rappelle que c'est de mon père que tu parles ! s'indigna Isabella. Mais c'est vrai que c'est parfois un vieil ours. Bon, bref, je me moque de ce qu'elle essaie de faire. Ce n'est pas ça le plus important. Nous devons l'arrêter ! Il faut mettre au point un plan. Elle va revenir, et c'est à nous trois qu'elle va s'en prendre, ensuite !

Elle tendit ses jolies petites mains et regarda ses poignets avec un mélange de fascination et d'horreur. En remarquant que tout le monde avait l'air choqué, elle se serra un peu plus contre Rose.

— Ce n'est pas ce que je voulais dire, je vous assure ! C'est juste que... que... à nous trois, nous avons plus de chance de lui résister, pas vrai ?

Jack la toisa :

— Peut-être. Mais nous sommes tous passés par là au moins une fois, et maintenant, c'est ton tour, petite sorcière. Pourquoi est-ce que toi, tu serais épargnée ?

Il brandit son poignet bandé sous le nez d'Isabella, qui recula. Le pansement était taché de sang et dégageait une odeur nauséabonde.

— Oui, oui, je sais ! haleta-t-elle.

Freddy passa son bras autour de ses épaules.

— Laisse-la tranquille ! ordonna-t-il d'une voix un peu trop haut perchée. (Il était nerveux car Jack était plus grand que lui.) Elle n'a que sept ans. Elle ne disait pas ça méchamment.

— Pff... Petite princesse pourrie-gâtée ! râla encore Jack, que l'intervention de Freddy avait tout de même calmé.

— Bien d'accord avec toi là-dessus... lança Freddy tout en levant son calot brillant. Quoi qu'il en soit, si nous n'avons que ça pour nous battre, nos chances sont assez limitées.

— Tu ne peux rien faire de mieux ? demanda d'une voix douce la fille en chemise de nuit, celle que les autres avaient appelée Alice. Ne le prends pas mal, surtout ! ajouta-t-elle aussitôt.

— Prends-le comme tu veux, la corrigea Jack. Tu ne peux pas lancer des boules de feu, ou un truc du genre ? Parce que comme tu dis, une bille fluorescente, ça ne va pas nous servir à grand-chose.

— Nous ne sommes pas encore de vrais magiciens, vous comprenez, expliqua Freddy, navré. Nous avons des pouvoirs, mais nous ne savons pas nous en servir. Non, on ne peut rien faire.

Rose intervint :

— Il doit y avoir un moyen d'augmenter nos forces !

Tout en parlant, elle fouilla dans les poches de son manteau dans l'espoir de mettre la main sur n'importe quel objet susceptible d'être utilisé comme une arme, mais ne trouva que le pendentif de Maisie. Elle entortilla la chaîne autour de ses doigts, réfléchissant.

— Oh, Rose, c'est mon médaillon ? demanda Maisie en se précipitant vers elle.

Oui, c'est lui, c'est lui ! Tu me l'as rapporté de St Bridget !

Rose lui sourit distraitement.

— Oh, désolée, Maisie. Tiens, prends-le.

Elle ne songeait pas vraiment à ce qu'elle disait, mais quand le bijou terni toucha les doigts de Maisie, le visage de son amie attira son attention. Des larmes brillaient dans ses yeux, mais elle avait l'air si heureuse ! Elle paraissait plus solide, et toute sa tristesse s'était envolée. Ses joues semblaient même moins creuses. C'était impossible, bien sûr ; néanmoins, Maisie était deux fois plus animée qu'une minute plus tôt, et cela uniquement grâce à une breloque sans valeur, un vieux médaillon en fer-blanc tout abîmé.

Maisie le souleva par la chaîne.

— Depuis que cette affreuse femme s'est fait passer pour ma mère, je n'ai pas arrêté de penser à lui. Il appartenait à ma vraie maman, tu comprends. Je sais que je ne la reverrai jamais ; ne t'inquiète pas, Rose, je suis guérie de tout ça. Je voulais juste l'avoir pour penser à elle, c'est tout.

Le pendentif brillait presque au bout de ses doigts. Pourtant, il n'avait rien de magique,

Rose en était consciente ; cela venait uniquement de la manière dont elles le regardaient. La seule chose qui le rendait spécial était l'amour que Maisie lui portait.

Mais peut-être était-ce là tout ce dont ils avaient besoin ?

Ce médaillon avait tant fait pour Maisie ! Elle avait maintenant l'air prête à affronter toute une armée de sorcières. Si seulement ils avaient tous possédé un objet de ce genre ! Hélas, ce n'était pas le cas. Rose n'avait aucun bijou lui venant de sa mère, ni même une mèche de cheveux ; rien pour lui redonner des forces.

Pensive, elle contempla les briques du mur sans les voir. Un objet physique était-il indispensable ? Une pensée ne pouvait-elle pas suffire ? Durant toutes les années passées à l'orphelinat, elle avait résisté grâce à une idée fixe : un jour, elle sortirait, trouverait un travail, gagnerait de l'argent, et serait la maîtresse de son propre destin. C'est ce qui lui avait permis d'aller de l'avant. N'était-ce pas un peu comme si elle avait eu son propre médaillon ? Cela n'avait-il pas agi comme un talisman ? Et ce projet secret avait acquis encore plus d'importance à présent qu'elle avait atteint son but et qu'une femme à moitié folle voulait lui mettre des bâtons dans les roues.

— À quoi penses-tu ? l'interrogea Freddy à voix basse.

Elle se tourna vers lui, pleine d'espoir.

— Je crois que j'ai une idée. On pourrait essayer quelque chose.

Elle se tourna vers les autres et s'adressa à la cantonade :

— Y en a-t-il parmi vous qui possèdent quelque chose de précieux, comme le médaillon de Maisie ? Pas forcément ici, mais quelque chose d'important ? Ce peut aussi être une personne, ou encore une idée qui vous rend plus fort, plus heureux.

Alice hocha la tête :

— Mon poney, Frisky. Je dois lui manquer horriblement.

Jack sortit un petit canif de sa poche :

— Ce couteau appartenait à mon père. Quand il est parti faire la guerre, il me l'a confié. Dommage que je n'aie pas réussi à embrocher la sorcière avec. J'ai essayé, mais elle est plus costaude qu'elle n'en a l'air...

Rose repensa à Bill, qui lui avait raconté combien Jack était convaincu que son père reviendrait un jour. Elle sentit sa détermination augmenter. Si Bill apprenait que son ami avait été sauvé grâce à la magie, il aurait peut-être à nouveau confiance en elle...

Les autres hochaient la tête, échangeaient des confidences, se montraient leurs trésors. Celui d'Annie n'était qu'un bouton trouvé dans la rue, mais elle y tenait visiblement beaucoup.

— J'en étais sûre ! s'exclama Rose, le cœur battant, en attrapant Freddy par le bras. Pouvons-nous utiliser tout ça ? Si nous nous concentrons tous à la fois, pouvons-nous concentrer ce pouvoir quelque part ? As-tu un trésor, toi aussi ?

Freddy hocha la tête et tendit la bille, un peu gêné :

— Je sais que ce n'est pas grand-chose, mais j'ai réussi à l'allumer tout seul, juste au moment où nous en avions besoin, et j'en suis fier. (Ses yeux s'agrandirent.) Rose ! Je l'ai déjà rempli de lumière, et nous en avons tous profité. Nous y sommes tous attachés, d'une certaine manière. Je ne pense pas qu'il soit très difficile d'y déverser la force que nous donnent nos objets précieux.

— Mais comment ?

Freddy eut un geste d'impuissance.

— Un sortilège de lien ? J'en connais un pour nouer des paquets...

Isabella qui, intimidée par Jack, avait été exceptionnellement silencieuse depuis quelque temps, prit la parole :

— Pour commencer, faisons la ronde. Puis essayons de projeter nos pensées positives vers la lumière. Freddy, tends la bille et prononce la formule.

Il y eut un certain remue-ménage : chacun s'efforçait de saisir ses voisins. Rose se retrouva entre Maisie et Freddy, la main posée sur celle du garçon qui tenait le calot. La lumière semblait battre au même rythme que leurs cœurs.

— Concentrez-vous !

Aussitôt, une vague de calme et de force s'éleva en elle, au-dessus d'elle, autour d'elle. Son esprit fut envahi par les images d'un petit cheval noir en train de manger un sucre dans sa main, le bonheur de s'endormir sous les caresses de sa véritable mère, la joie de trouver un trésor brillant dans la boue... Elle eut l'impression que cela durait des heures. Quand ça prit fin, elle cligna des yeux, incroyablement calme et sûre d'elle, et regarda les autres. Elle comprit aussitôt que tous avaient ressenti le même bien-être. Elle n'avait jamais vu Freddy ainsi en paix avec lui-même et comprit soudain qu'il était habituellement rempli de peur, de colère, de doutes.

— Et maintenant ? demanda Isabella en frétillant d'excitation. Comment allons-nous sauver Amy ?

— Et que va-t-on faire de la sorcière, ensuite ? ajouta Jack. Il va falloir la tuer, j'imagine.

Une partie du précieux bonheur accumulé par Rose se dissipa.

— Ne peut-on pas simplement reprendre Amy et assommer Miss Sparrow ?

— Pour qu'elle puisse recommencer avec d'autres enfants quand elle se réveillera ?

— La police ? suggéra-t-elle encore, face à cette horrible vérité.

Freddy secoua la tête, dubitatif.

— Je ne sais pas si on nous croira. Nous ne sommes que des enfants, après tout. Et puis il suffirait qu'elle utilise un charme, et les policiers lui mangeraient dans la main. Regarde ce qu'elle a fait au père d'Isabella, alors qu'il s'y connaît en sortilèges. Mais, poursuivit-il en plissant le front, si nous arrivons à ramener Mr Fountain à la raison, il sera furieux contre elle... Lui, il pourrait témoigner auprès des policiers, et l'empêcher de leur jeter un sort. Oui, si nous réussissons à assommer Miss Sparrow et à le conduire ici, ça devrait marcher !

Jack continuait à vouloir la tuer, mais les autres se rangèrent à l'avis de Freddy.

— C'est égal, de toute façon, conclut Jack, boudeur, puisqu'on ne peut pas sortir d'ici.

C'était vrai. Personne n'avait encore vraiment songé à la porte, lourde et solide, de la cave. Elle ne trembla même pas quand ils la secouèrent, et lorsque Isabella lui donna un coup de pied, elle ne réussit qu'à se faire mal à la cheville.

Rose s'assit sur la marche la plus haute, les ongles douloureux d'avoir gratté la serrure.

— Il n'y a plus qu'à attendre qu'elle ramène Amy et lui sauter dessus à ce moment-là.

Ce n'était pas la solution idéale : ils auraient tous voulu épargner un prélèvement de sang supplémentaire à Amy. Cependant, il n'y avait rien d'autre à faire.

— Et si elle ne la ramène pas ? objecta Alice.

Tout le monde se tut, et Alice continua timidement :

— Amy nous a dit qu'elle ne survivrait pas à une autre prise de sang. Elle le sentait. Elle en était certaine. Si elle... si elle meurt, pourquoi Miss Sparrow reviendrait-elle ?

Il y eut un silence, puis Rose se leva et tambourina furieusement sur le bois.

— Tu as raison. Il faut qu'on ouvre cette porte !

— Vous ne pouvez pas utiliser la magie ? demanda Maisie.

— Rose, et si tu essayais de parler au bois ? suggéra Freddy. Tu sais, comme avec la glycine ?

Peu convaincue, Rose posa la main sur la surface, mais celle-ci était froide, lisse, dénuée de vie. Elle ne communiquait pas avec elle comme l'avait fait la plante. Plaider avec une chose morte était impossible.

— Inutile, soupira-t-elle.

Freddy leva sa bille. Elle brillait bien plus intensément qu'avant, comme si elle avait hâte d'être utilisée.

— Je ne voulais pas la gâcher, mais si nous ne pouvons pas sortir...

Soudain, une voix pointue s'éleva du fond de la pièce :

— Annie saurait l'ouvrir, elle !

Pendant tout ce temps, les deux plus jeunes étaient restées assises et avaient observé les autres se démener, en suçant leur pouce. À présent, Lily avait bondi sur ses pieds et sautait sur place, tout excitée.

— Ne dis pas de bêtises ! la gronda Sarah-Jane.

Sans l'écouter, Lily remit Annie sur ses pieds et la traîna jusqu'à la porte.

— Regardez !

Et Annie, après avoir sorti à son tour son pouce de sa bouche, tira de l'une de ses poches un trousseau de passe-partout.

18

Annie crocheta la serrure en moins de deux minutes, au grand ahurissement des autres.

— Où as-tu appris à faire ça ? demanda Rose, remplie d'admiration.

— J'imagine que ce sont ses voleurs de frères qui le lui ont enseigné, marmonna Freddy, qui ne leur avait pas encore pardonné leur attaque. C'est elle que nous avons promis de chercher, n'est ce pas, Rose ? J'espère au moins qu'il n'y a pas de verrou de l'autre côté, sinon nous sommes fichus !

Mais la porte s'ouvrit avec facilité, dévoilant une volée de marches sur laquelle les enfants s'engagèrent précautionneusement.

L'escalier conduisait à la cuisine, déserte, plongée dans la pénombre, très différente de la pièce chaleureuse et accueillante de chez Mr Fountain.

— N'a-t-elle aucun domestique ? s'étonna Rose.

— Elle ne peut pas prendre le risque qu'ils découvrent ce qu'elle manigance, dit Freddy. Peut-être a-t-elle enchanté la maison pour qu'elle reste toujours propre, même si je n'ai jamais entendu parler d'un tel sortilège.

Il ouvrit une porte qui donnait sur un autre escalier.

— Ça conduit vers le hall d'entrée, n'est-ce pas ? Je ne me rappelle pas très bien le chemin que nous avons suivi quand elle nous a amenés ici.

Rose haussa les épaules. Elle n'en avait elle-même aucun souvenir. Terrifiée, elle avait passé la majeure partie du trajet les yeux fermés, avec un seul souhait : ne pas vomir.

Le grand vestibule était carrelé de noir et blanc et aussi accueillant que dans n'importe quelle maison. On y trouvait un porte-parapluies en forme de pied d'éléphant et une table d'appoint sur laquelle était posé un grand pot de fougère. Pas de sang ; aucune trace d'Amy. Mais une porte entrouverte laissait passer un rai de lumière.

— C'est là qu'est son laboratoire, chuchota Alice.

Elle avait pâli, et ses pupilles s'étaient dilatées au point de cacher le bleu de ses yeux. Collées contre elle, Lily et Annie avaient recommencé à sucer leur pouce. Avec une pointe de culpabilité, Rose comprit que si le laboratoire ne l'effrayait pas plus que le reste de la maison, c'était qu'elle n'y était jamais allée. Presque tous ses compagnons massaient inconsciemment leurs poignets.

— Les petits devraient partir d'ici, chuchota-t-elle.

Les plus âgés regardèrent la porte avec regret, mais lui donnèrent raison. Jack désigna quelques enfants :

— Alice n'a qu'à emmener les deux petites, et Isabella, et vous quatre...

— Je devrais venir avec vous, protesta Alice, mais sa voix tremblait de soulagement.

— Pars avec eux, vite ! insista Sarah-Jane. Lily, sois sage, hein ?

Lily hocha énergiquement la tête sans sortir son pouce de sa bouche.

— Ne faites aucun bruit en sortant, recommanda Freddy.

Les grands regardèrent le petit groupe traverser le hall puis se poster devant la porte, l'air anxieux, tandis qu'Alice se battait avec la serrure. La clef était dedans, mais elle grinçait, et tous s'attendaient à voir d'une seconde à l'autre la porte du laboratoire s'ouvrir et Miss Sparrow sortir en hurlant. Enfin, la voie fut libre, et les petits se glissèrent dehors sans faire de bruit. Alice adressa un dernier sourire reconnaissant aux autres avant de refermer derrière elle.

Rose poussa un soupir presque imperceptible. Il aurait été si facile de la suivre ! Au moins avaient-ils déjà sauvé Isabella, Annie et les autres petits ; ils avaient rempli une partie de leur mission. Elle échangea un faible sourire avec Freddy et s'apprêtait à demander ce qu'ils devaient faire maintenant lorsque Jack chuchota :

— Un chat !

Effectivement, sur le carrelage en échiquier trottait un énorme chat blanc avec un œil orange et un autre bleu. Il se frotta affectueusement contre la jupe de Rose, qui le prit dans ses bras.

— Oh, Gus ! Tu nous as suivis ?

— Bien sûr. Je suis entré quand Isabella et tous ces gamins sont sortis. Ça fait combien de temps que cette folle ramasse des enfants ? J'attends dehors depuis des heures, et je n'ai pas trouvé la moindre fenêtre entrebâillée, la plus petite fissure par laquelle me faufiler. J'étais sur le point de renoncer et d'aller chercher Fountain quand j'ai vu la porte s'ouvrir.

Maisie posa la main sur le bras de Rose avec ravissement.

— Il parle ! Tu as un chat magique, Rose ?

Elle en avait oublié sa peur, et Rose se demanda s'il était possible que Gus utilise un charme pour rendre les gens heureux de le voir. *Ça expliquerait pourquoi il est si gros*, se dit-elle.

Gus considéra Maisie en penchant la tête sur le côté.

— Elle comprend ce que je dis ? Elle a des pouvoirs, elle aussi ?

Sa voix était sceptique : il trouvait apparemment difficile de croire que Maisie eût quoi que ce fût de magique. Rose secoua la tête.

— Non, mais Freddy a prononcé une formule pour rassembler notre force à tous.

Peut-être que cela nous donne à tous des capacités extraordinaires, ce soir.

— On peut le toucher ? demanda Ellen, les yeux grands ouverts d'admiration.

— C'est à moi qu'il faut poser la question, si ça ne vous dérange pas, répondit Gus, hautain. Je n'appartiens à personne. Et oui, vous pouvez, si vous avez les mains propres.

Il ferma les yeux et ronronna de plaisir dans les bras de Rose pendant que les enfants le caressaient à tour de rôle. Le moment semblait mal choisi pour perdre du temps à ce genre d'activité, mais Rose voyait des étincelles de magie jaillir de la fourrure soyeuse et l'espoir renaître chez ses compagnons, aussi n'émit-elle aucune objection. L'espoir était précieux, surtout à présent qu'ils n'avaient rien d'autre.

— Quel est votre plan ? demanda enfin Gus en se frottant contre le menton de Rose.

— Nous savons juste qu'elle est là-dedans, répondit Freddy en désignant le laboratoire. Elle y a emmené une des filles, Amy, et il faut qu'on la sorte de là, Gus. Miss Sparrow veut la tuer. Elle s'imagine que ça lui permettra de vivre éternellement.

— Ridicule. Je savais bien qu'elle était folle. Oh, je voudrais que Fountain ne l'ait jamais connue ! Et le pire, c'est que la folie et la magie s'entendent extrêmement bien, en général... Bon, je peux aller jeter un coup d'œil, si vous voulez. Grâce à mes moustaches, je suis capable de détecter les sortilèges de protection.

Il sauta des bras de Rose avec légèreté, traversa le vestibule et se faufila sans un bruit par la porte entrebâillée, moustache en avant. Les enfants le suivirent sur la pointe des pieds et s'arrêtèrent en formant un demi-cercle devant la porte.

L'attente leur parut infinie. Il ne s'était pourtant écoulé qu'une minute quand Gus réapparut, les oreilles couchées sur le crâne, la moustache tombante comme celle d'un ancien mandarin.

— Que se passe-t-il ? chuchota Rose.

— Je crois que la jeune fille sur le divan est morte, confessa tristement Gus.

Il y eut un murmure d'incrédulité, de désolation. Ils avaient fait tant d'efforts pour sortir de leur prison ! Perdre Amy ainsi leur était intolérable.

— Si seulement nous étions allés plus vite ! gémit Maisie, que Rose entoura de ses bras.

— Et que fait la sorcière ? s'informa Jack.

— Étrangement, elle a l'air à moitié morte, elle aussi, ou du moins évanouie. Elle est allongée sur le sol à côté du divan.

— Occupons-nous d'elle ! rugit Jack en bondissant en avant.

Freddy le retint.

— Doucement ! C'est une... une *sorcière*, je te rappelle. Prenons nos précautions !

Il jeta discrètement un coup d'œil la porte entrouverte, et les autres s'approchèrent. Gus avait raison. Miss Sparrow gisait près du canapé, immobile, un filet de sang au coin de la bouche. C'était pourtant Amy qui attirait leurs regards. Elle avait glissé sur les coussins, et un de ses bras traînait par terre. Si elle avait été pâle auparavant, à présent sa peau avait acquis une nuance presque verte. L'entaille à son poignet, béante, ne saignait même plus.

— Sortons-la de là !

La voix de Jack se brisa. Les autres vinrent le rejoindre. Les cheveux noirs d'Amy effleurèrent les mains de Rose, et elle les caressa.

Ils avaient l'air encore si pleins de vie ! Comment pouvait-elle être morte tout en ayant de si beaux cheveux ?

— Freddy, ordonna-t-elle soudain, donne-lui la bille.

— Mais Rose, Amy est...

— Dans ce cas, ça ne peut pas lui faire de mal, n'est-ce pas ? Essaie, au moins !

Freddy s'agenouilla devant le divan et enferma le calot entre les doigts d'Amy. Il grimaça car cela fit bouger la blessure de son poignet d'une horrible façon, mais il tint bon.

Pendant quelques secondes, rien ne se passa. Soudain, il y eut un éclat lumineux, et les doigts glacés d'Amy prirent une teinte rosée ; puis la jeune fille fut parcourue d'un frémissement.

— Ça marche ! chuchota Maisie, enthousiaste. Dépêchons-nous, partons d'ici !

Maisie, Ellen, Sarah-Jane et Jack saisirent chacun Amy par un membre et la traînèrent hors de la pièce. Gus les suivit, queue levée comme un drapeau, accompagné par Freddy et les derniers enfants.

Mais Rose demeura dans le laboratoire.

Elle savait que si elle sortait dans la rue, elle n'aurait pas le courage de faire marche arrière. La tentation de s'enfuir serait trop forte. Il valait donc mieux rester, car Miss Sparrow n'était pas morte : elle la voyait respirer, et même revenir lentement à elle. Rose ne voulait pas que cette femme puisse courir après ses victimes. Sa décision était sans doute téméraire, mais elle avait bien arrêté ce monstre de brume sans savoir ce qu'elle faisait ; peut-être la chance lui sourirait-elle à nouveau.

Miss Sparrow ouvrit les yeux. Ils étaient petits et ronds comme des perles, ou plutôt comme de ternes et banals boutons. Ses cheveux, assez rêches, s'échappaient des épingles qui les tenaient en place. À bien y regarder, l'alchimiste n'était pas spécialement belle, loin de là. Puis cette dernière se réveilla pour de bon et se ressaisit. Aussitôt, ses yeux furent à nouveau profonds, sombres, et son visage redevint merveilleusement délicat. Elle saisit un objet dissimulé dans les replis de sa robe de soie noire et se mit debout d'un bond. Elle dominait Rose de très haut, mais avec son charme, elle avait l'air d'une vraie géante.

Et elle tenait un couteau à la main.

Un lame en argent, se dit Rose, remarquant ce détail malgré sa panique. Elle avait passé assez de temps à polir l'argenterie chez Mr Fountain pour reconnaître un poinçon. Le couteau qui s'approchait était en argent, brillant... et très aiguisé.

— Rose !

Par chance, le cri lui fit faire un bond en arrière: le couteau l'avait comme hypnotisée, et Miss Sparrow n'était plus qu'à deux pas d'elle. Rose trébucha et faillit tomber, mais Freddy la soutint :

— Qu'est ce qui t'a pris de rester là ?

— Plus tard ! lui intima Gus.

— Il n'y aura pas de « plus tard », murmura d'une voix sourde Miss Sparrow. Le sang de deux enfants magiciens... Ça devrait marcher. L'autre fille était un échec. Je me suis trompée. L'argent... Le sang de la vie... J'étais si sûre de moi...

— Elle est folle ! fit Rose.

— Peut-être, mais ça ne l'empêche pas d'être dangereuse ! miaula Gus.

Ils reculèrent tous trois précipitamment, mais soudain le visage de Miss Sparrow se para d'une beauté si parfaite qu'elle faisait presque peur – on eût dit qu'une des poupées d'Isabella avait pris vie. Les enfants et le chat s'immobilisèrent. Ils ne pouvaient pas se battre contre quelqu'un d'aussi sublime : en résistant, ils risquaient de l'abîmer. Ils ne pouvaient que se rendre, se laisser faire.

Sûre de son fait, à présent, Miss Sparrow avançait d'un pas majestueux vers eux avec un sourire magnifique.

Mais où est passé le sang ? demanda une petite voix dans la tête de Rose. *Il y a une minute, elle avait du sang sur le menton, et voilà qu'il a disparu. Ça me rappelle le jour où Gus a essayé de se faire passer pour un chat maigre, alors qu'il mange beaucoup trop...*

Elle ne s'est pas essuyée ; la trace devrait encore être là. Si sa bouche est propre, c'est donc... que je ne la vois pas telle qu'elle est réellement !

S'obligeant à un violent effort, Rose parvint à détacher ses yeux de la sorcière au visage d'ange. Elle donna un coup de coude à Freddy et d'un mouvement vif prit Gus dans ses bras.

— Réveillez-vous ! Elle use de son charme pour nous faire perdre toute volonté !

Freddy et Gus revinrent brusquement à eux, et Gus cracha de colère. Décontenancée, Miss Sparrow fit une halte pour réfléchir à une autre stratégie : de toute évidence, ils représentaient une menace plus grande qu'elle ne l'avait escompté, et son usage de la magie l'avait épuisée. Mais même à bout de force, elle était encore capable de tenir tête à deux enfants, y compris aidés par un chat. Rose sentit alors toute sa témérité s'évaporer. Pourquoi n'était-elle pas partie quand elle en avait eu l'occasion ? À présent, c'était trop tard : tourner le dos à la magicienne aurait été la pire chose à faire.

Gus posa les pattes sur l'épaule de Rose et ronronna pour l'encourager :

Rose, tu es la plus puissante de nous trois. Toute sa force est dans ses charmes, mais ils ne marchent pas très bien sur toi. Elle va en utiliser d'autres, encore plus efficaces, mais je sais que tu peux lui résister. Freddy, quoi qu'il arrive, fais confiance à Rose !

Rose hocha nerveusement la tête, et Freddy prit un air boudeur :

— Je sais, je sais...

Miss Sparrow avait visiblement décidé que Rose était sa principale adversaire. Elle recommença à avancer vers elle, souriante, plus belle que jamais ; seule sa pâleur extrême gâchait le tableau. Rose crispa les mains sur la fourrure de Gus.

— Jeune Rose... Petite sorcière... (Son sourire s'élargit.) Oui, j'aime appeler un chat un chat. Tu es une sorcière, comme moi. Tu pourrais être si puissante. Si forte. Si riche. Ne plus trimer du matin au soir... Viens avec moi, Rose, et je t'apprendrai tout ce que je sais. Tu pourrais faire tant de choses !

Rose l'écoutait, magnétisée. Miss Sparrow était forte, déterminée. *Exactement comme moi*, songea-t-elle en dépit d'elle-même. Son offre était alléchante. Ne plus jamais être obligée de ramasser ce que quelqu'un d'autre avait cassé...

— Pourquoi portes-tu cette affreuse robe de coton, Rose, ma petite chérie ? Tu devrais être vêtue de velours, de satin, de fourrure...

Rose secoua la tête. Elle venait de comprendre qu'elle avait affaire à un charme d'un autre genre. Miss Sparrow disait peut-être la vérité, mais cela n'y changeait rien : elle ne devait pas se laisser bercer par ses paroles. Elle avait fait sa robe elle-même, et elle en était fière. Elle s'était même piqué le doigt avec son aiguille, à un moment, et avait taché l'ourlet d'une minuscule goutte de sang qu'elle avait dû dissimuler à Miss Bridges...

Le sang. D'un seul coup, tout lui revint. Comment avait-elle pu se laisser séduire, ne fût-ce que l'espace de quelques secondes, par l'offre de quelqu'un qui avait enlevé des enfants pour boire leur sang ? Elle serra les mâchoires, et Miss Sparrow s'en aperçut :

— Petite idiote ! vociféra-t-elle. Si arrogante, si *sainte* ! Vois donc où ça te mène !

Sa phrase se termina par un rugissement. Elle lâcha son couteau et se jeta sur Rose, mains en avant. Ses ongles poussaient, se transformaient en griffes, essayaient de se planter dans sa gorge.

— Rose, dis-moi si c'est un charme, car elle a l'air de vouloir te tuer et je ne sais pas quoi faire !

— Non ! C'est bien réel ! Vite, aide-moi, je... Oh !

Rose se dégagea en haletant, soulagée : Freddy avait assené un grand coup sur la tête de Miss Sparrow avec le porte-parapluies du vestibule, qu'il était allé chercher pendant la tentative de séduction de la sorcière.

— Merci ! souffla Rose.

— De rien. Tu m'as sauvé de cet élémental... Nous sommes quittes !

À moitié assommée, Miss Sparrow leur apparaissait désormais telle qu'elle était, décoiffée, hideuse ; mais sa main s'était refermée convulsivement sur son arme, et elle était agitée de soubresauts qui ne présageaient rien de bon.

— Et si on filait d'ici ? proposa Freddy.

— Nous n'irons pas loin.

— Dans ce cas, il ne nous reste qu'une seule chose à faire : appeler l'élémental.

— Le monstre de brume ?

— Ce n'est pas un... oui, bon, d'accord, le « monstre de brume » !

— La dernière fois ne t'a pas suffi ? gronda Gus. Peux-tu me dire comment tu comptes le diriger ?

Freddy haussa les épaules sans quitter des yeux Miss Sparrow, dont l'état s'améliorait dangereusement vite.

— Les élémentaux sont attirés par l'énergie vitale, le pouvoir, ce genre de choses. J'ai eu droit à une leçon d'une heure sur ce sujet la semaine dernière, je sais de quoi je parle. Or, elle est bien plus puissante que nous, n'est-ce pas ? Donc, en principe, il devrait s'en prendre à elle plutôt qu'à nous. De toute façon, ça nous laisse une chance sur deux, ce qui vaut mieux que zéro ! Gus, tu te rappelles la formule ?

Sans émettre d'autres objections, Gus se mit à prononcer une incantation d'une voix grave, aussitôt rejoint par Freddy. Rose se concentrait sur Miss Sparrow. Ses cheveux semblaient se coiffer tout seuls, formant des boucles élaborées, ce qui signifiait probablement qu'elle était en train de reprendre des forces. Elle pria pour qu'ils se dépêchent.

Enfin, Freddy bougea la main gauche en un étrange geste d'invitation. Aussitôt, le bourdonnement malveillant remplit la pièce.

Une torsade de fumée noire se mit à monter des fissures du parquet, faisant onduler le sol. Il en vint de plus en plus ; puis apparurent des yeux et des dents. L'être se dirigea tout d'abord vers Rose, mais celle-ci lui fit face, poing levé ; la reconnaissant, il battit en retraite. Son attention se porta ensuite sur Freddy et Gus. Avec un horrible ronronnement satisfait, il repartit à l'attaque.

— Regarde, là-bas, le couteau ! miaula Gus en reculant. Le sang ! Derrière toi !

La créature tourna sur elle-même et aperçut Miss Sparrow pour la première fois. Celle-ci s'était relevée et brandissait son arme ; toutefois ses yeux trahissaient sa peur. Rose comprit que les charmes ne pouvaient avoir aucun effet sur les êtres de brume, et que Miss Sparrow en était consciente – de plus, celle-ci avait consacré une telle partie de son énergie à ses sortilèges de déguisement qu'elle n'avait plus la force de se battre.

La créature enfla encore un peu et s'approcha avec méfiance, intriguée... et *affamée*. Miss Sparrow se mit à lui jeter des sorts, des maléfices, prononça des formules en une litanie désespérée, mais pour toute réponse, la brume s'assombrissait, s'épaississait.

Comment ai-je réussi à faire fuir quelque chose d'aussi puissant sans même savoir ce que je faisais ? s'étonna Rose. *Un coup de chance, probablement.*

Le monstre entourait désormais Miss Sparrow, et absorbait sans sourciller les étincelles et éclairs produits par sa magie. Aussi vite qu'elle le put, Rose saisit Gus et courut vers la porte.

— Allons-nous-en ! Quand il en aura fini avec elle, rien ne nous dit qu'il ne s'attaquera pas à nous pour le dessert !

Ils traversèrent le hall au pas de charge et claquèrent la porte derrière eux, laissant Miss Sparrow en tête à tête avec l'élémental. Sans prendre le temps de respirer, ils se dirigèrent vers la maison.

La nuit était tombée depuis longtemps, et le brouillard formait des volutes autour des lampadaires. À chaque tournant, Rose scrutait les nuages dans la crainte d'y découvrir des petits yeux vicieux.

— Va-t-il nous poursuivre ? chuchota-t-elle à l'oreille de Gus en traversant un épais banc de brume.

— Non, il va retourner d'où il est venu pour digérer. Je crois. Vous ne pouvez pas accélérer ? Ah, voici la place !

En s'approchant de la demeure de Mr Fountain, ils virent que les fenêtres du salon déversaient une lumière dorée, tout comme la porte principale, grande ouverte. En haut des marches, une haute silhouette était en train d'enfiler un manteau et repoussait d'un geste les cache-nez, parapluie et guêtres qu'on lui tendait.

— Faites ce que vous demande Isabella, Miss Bridges. Nourrissez-les avec ce que vous trouvez. Je serai bientôt de retour, du moins je l'espère. Non, non, pas la voiture, je n'ai pas le temps d'attendre. Je prendrai un fiacre au besoin.

Il commença à descendre les marches. Gus sauta des bras de Rose et galopa dans sa direction.

— Maître, maître, nous sommes revenus !

Freddy se hâta à le suivre, et Rose en fit autant, d'un pas plus hésitant.

— Frederick ! Tu es sain et sauf ! (Mr Fountain saisit les mains de son apprenti et l'examina, le visage anxieux.) Tu n'es pas blessé, mon garçon ? Le sort que m'avait jeté cette odieuse femme s'est évanoui il y a quelques minutes. Où est-elle ?

— Il a dû se dissiper quand l'élémental l'a avalée, déclara Gus d'un ton assez fanfaron.

Mr Fountain leva les sourcils.

— Un élémental ? Racontez-moi ça !

Debout sur les marches, Freddy et Gus résumèrent ce qui s'était passé. Mr Fountain les écouta avec attention en secouant de temps en temps la tête pour souligner sa stupéfaction.

— Incroyable. Tout à fait incroyable. Entrez ; vous me redirez tout ça en détail quand je

reviendrai. Toi aussi, Rose. Je tiens particulièrement à m'entretenir avec toi.

— Vous allez chez Miss Sparrow ?
demanda Freddy.

Mr Fountain regarda dans la direction par
laquelle ils étaient arrivés.

— Je veux voir ce qu'il en reste, dit-il d'une
voix sombre. Allez tous vous réchauffer, et
reposez-vous. Isabella a rassemblé les enfants
dans le salon. Je reviens dès que possible.

Faisant tournoyer son manteau, il les
poussa en haut des marches et leur fit fran-
chir la porte principale – Rose y compris.
Elle demeura debout dans le hall, tremblante sous le regard sévère de Miss Bridges.
Gus courut dans le salon prendre place
devant le feu, et Freddy l'imita en se
frottant les mains avec entrain pour les
réchauffer. Rose les regarda partir un peu
tristement, puis fit la révérence devant Miss
Bridges. Elle ne pouvait pas entrer dans le
salon – elle n'était même pas autorisée à y
faire le ménage !

— Je vous demande pardon d'être en
retard, Miss.

— Oh, ne dis pas de bêtises, Rose, et suis-
les ! dit Miss Bridges en soupirant. Il y a déjà

là de quoi remplir la moitié d'un orphelinat. La police va venir. Je doute que quiconque se couche avant minuit !

Elle poussa Rose vers le salon et partit à grands pas en appelant Susan et en réclamant du bouillon de viande.

Rose s'arrêta sur le seuil et sourit. La pièce luxueuse avait été garnie de coussins et d'édredons, et les enfants étaient assis en demi-cercle autour de la cheminée. Au centre, Amy était allongée sur un sofa, bien emmitouflée dans des couvertures. Très à l'aise, Isabella proposait à tous du chocolat chaud.

— Rose !

Rose se retourna vivement, les ongles enfoncés dans les paumes de ses mains. Au cours des dernières heures, son nom ainsi chuchoté avait toujours été synonyme de danger.

— N'aie pas peur, c'est moi ! dit Bill, sur le qui-vive, jetant des regards inquiets autour de lui. Je ne peux pas rester longtemps : si Miss Bridges me voit traînasser à un moment pareil, elle va me couper les oreilles !

— Tu as vu ton ami ? Jack ? C'est bien lui ? Nous n'avons pas eu le temps de bavarder, mais il m'a semblé que c'était le garçon dont tu m'avais parlé, non ?

— Oui. On l'a enlevé en pleine rue. Ses employeurs ne pourront pas lui en vouloir : Miss Bridges va se porter garante qu'il dit la vérité. J'espère qu'on lui rendra sa place.

Il sourit, puis prit un air sévère, se pencha vers Rose, et lui glissa :

— La prochaine fois que tu as l'intention de faire une idiotie en compagnie de Mr Freddy, sans même parler de Miss Bella, tu me feras le plaisir de m'emmener avec toi ! Pourquoi ne m'as-tu rien dit ?

— Parce que tu détestes la magie ! Tu ne m'adressais même plus la parole, après cette histoire de mélasse. Tu me regardais comme un machin dégoûtant collé sous la semelle de tes chaussures !

Bill haussa les épaules, un peu honteux.

— Ce n'est pas ta faute, j'imagine. Tu es comme ça. Tu ne peux rien y faire. Et puis tu as délivré Jack. D'après ce qu'il m'a dit, il était enfermé dans une cave, et on le saignait... (Il lui tapota maladroitement le bras.) Tu as été très courageuse.

— Et Freddy, il a été courageux, lui aussi ? s'enquit malicieusement Rose.

— Lui ? Si tu veux mon avis, il est trop bête pour savoir ce qu'il faisait ! Allez, va rejoindre les autres, tu es attendue.

En effet, Gus s'était posté devant la porte et regardait Rose avec insistance. Elle hocha la tête, et il consentit à retourner à sa place.

— Je te retrouve bientôt dans la cuisine ! promit-elle à Bill.

Soudain, Bill sursauta et fit un pas en arrière ; Rose découvrit Mr Fountain qui venait d'ouvrir tout seul la porte de sa maison – du jamais vu ! Bill fila si vite que cela relevait presque de la magie, et Rose se retrouva seule, un peu ridicule, devant l'entrée du salon. Elle fit une révérence hâtive :

— Voulez-vous que je prenne votre manteau, Monsieur ?

Mr Fountain la considéra avec attention.

— Non. Décidément, non.

Il était hors d'haleine, comme s'il était revenu au galop de chez Miss Sparrow, même si Rose n'arrivait pas du tout à l'imaginer en train de courir. Il posa son manteau sur une table d'appoint, et elle ouvrit de grands yeux effarés : Miss Bridges allait avoir une syncope.

— Viens.

Il la fit entrer avant lui dans le salon, s'installa dans un grand fauteuil, et enleva ses gants, en prenant son temps.

— Il n'y avait plus rien. Rien du tout, si ce n'est tout un tas d'appareils et d'instruments auxquels je préfère ne pas penser.

Il jeta un coup d'œil aux enfants rassemblés autour d'Isabella, en arrêtant son regard un instant sur le poignet bandé d'Amy, et poussa un soupir. Freddy se leva et se planta devant lui, tandis que Gus sautait sur son accoudoir :

— Maître, nous avons quelque chose de très important à vous dire.

Se coupant mutuellement la parole, ils se mirent à parler de Rose et de tout ce qu'elle avait fait. Embarrassée, elle écoutait en se tortillant, un peu en retrait.

— Et donc il *faut* que vous la preniez comme apprentie, Maître, conclut Freddy avec emphase.

— Des pouvoirs impressionnants, renchérit Gus. Beaucoup de talent, vraiment.

Mr Fountain se tourna vers Rose, qui attendait à quelques pas de là.

— Et toi, qu'en dis-tu ?

— Merci, Monsieur, mais je ne veux pas devenir apprentie. Ce ne serait pas convenable.

Elle fit une nouvelle courbette, et Freddy poussa un grognement :

— Oh, arrête avec ça ! Maître, elle sait même parler aux arbres !

— Ce qui est précisément la raison pour laquelle je ne tiens pas à aller à l'encontre de ses désirs.

Mr Fountain leva la main, et Rose s'approcha à petits pas. Elle n'en avait pas vraiment eu l'intention, et l'idée qu'il était peut-être tout aussi doué en élaboration de charmes que Miss Sparrow lui traversa l'esprit.

— Dis-moi donc ce que tu souhaites, Rose.

— Que tout continue comme avant ? proposa-t-elle avec espoir.

— Mmm... Il faut cependant avouer que ce serait un vrai gâchis. Tu as de grandes capacités. Et si tu prenais des cours entre deux... balayages, ménages, ce genre de choses ? (Il fit un vague geste de la main, ignorant manifestement en quoi consistaient les tâches quotidiennes de ses domestiques.) Je suis sûre que Miss Bridges se laisserait convaincre.

Rose s'inclina encore une fois :

— Si ça ne perturbe pas mon travail, Monsieur, accepta-t-elle enfin.

— Très bien. Je prévois que tu pourrais te révéler très utile. (Il caressa sa moustache, pensif.) Alors, Rose, j'ai entendu le compte-rendu de Frederick et celui de Gustavus, mais pas le tien. Selon toi, qu'est-il arrivé à cette harpie à l'esprit dérangé ? Est-elle morte ?

Pendant toute la conversation, Rose avait gardé les yeux baissés vers le tapis en signe de respect ; mais à ces mots, elle releva la tête sans attendre.

— Le monstre l'a mangé ! Vous avez dit qu'elle avait disparu. Elle doit être morte. Elle est forcément morte ! s'exclama-t-elle, partagée entre l'espoir et la peur.

Puis elle ajouta à voix basse :

— Mais vous ne croyez pas qu'elle le soit, n'est-ce pas ?

Mr Fountain regarda sans les voir les élégantes moulures du plafond, et entortilla sa moustache autour de son doigt.

— Je crains bien que non... Je suis désolée. Vous avez cependant agi avec beaucoup d'intelligence – utiliser l'élémental était particulièrement inspiré, Frederick, puisque vous n'aviez rien d'autre pour vous tirer d'affaire. Peu de magiciens ont déjà été confrontés à ces esprits ; Miss Sparrow n'en avait peut-être jamais vu, même si je lui avais parlé de mes recherches dans ce domaine. (Il tira sur sa moustache avec colère et fit une grimace de douleur.) Dieu sait ce que j'ai bien pu lui raconter d'autre... Le charme de cette femme était extraordinaire. Espérons qu'à défaut d'être morte, elle soit loin de tout retour possible. Mais je me demande...

Il soupira.

— Quoi ? firent d'une seule voix Rose, Freddy et Gustavus.

Mr Fountain les regarda avec surprise, comme s'il avait oublié leur présence.

— Ah ! Et bien, je me demande s'il est possible qu'elle conserve une partie de ses pouvoirs à l'intérieur de l'élémental.

— Mais... mais... il l'a dévorée ! plaida Rose.

— Elle était très puissante, remarqua Freddy en se laissant lourdement tomber sur une méridienne. Elle lui a peut-être résisté.

Rose s'en prit à Gus, qui avait sauté à son tour sur le divan et se lavait les oreilles comme un chat qui veut paraître très occupé.

— Tu disais que toute sa force était dans ses charmes !

— Mmm. C'est vrai, admit-il entre deux coups de langue. Mais même un esprit des éléments peut être transformé après avoir avalé une telle quantité de magie.

Rose s'écroula sur la méridienne à côté d'eux.

— Elle va donc revenir. Tout ça pour rien !

— Rose !

Mr Fountain se pencha en avant et l'attrapa par le menton pour la forcer à le regarder dans les yeux.

— Comment peux-tu dire ça ? Vois ! (Il tourna le visage de Rose vers les enfants rassemblés autour du feu.) Toi, Freddy, ma propre fille, et tous ces autres fils et filles, ces enfants que tu as ramenés à leurs parents !

— En réalité, la plupart sont orphelins, objecta Rose.

— Fils et filles néanmoins, et toujours précieux, rétorqua sévèrement Mr Fountain. Chaque vie a de la valeur. (Il l'obligea à lui faire face encore une fois et la fixa de ses yeux profonds.) Et aussi étrange que cela puisse te paraître, je suis soulagé que tu n'aies pas tué Alethea Sparrow. Tu le regrettes à présent, mais les morts que nous causons pèsent sur notre conscience, tu sais. Même quand nous avons d'excellentes raisons d'avoir voulu leur disparition. Vous êtes trop jeunes pour porter un tel poids, tous les deux.

Gus bâilla en dévoilant ses crocs interminables, se leva, et posa délicatement ses pattes avant sur les genoux de Rose.

— Rose, ma chère, cette discussion philosophique a beau être passionnante, je n'ai rien mangé depuis ces sandwichs au poisson en assez piteux état, dans le panier, tout à l'heure... (Il lui décocha un coup de tête affectueux dans le menton.) Ne t'inquiète pas, fillette. Même si elle revient un jour, ce n'est pas pour tout de suite. Tu as tout le temps d'apprendre à la vaincre pour de bon.

Rose ne put s'empêcher de sourire. Elle avait oublié qu'à partir du lendemain, elle ne serait plus cantonnée au nettoyage du laboratoire. Elle allait devenir l'apprentie de Mr Fountain, et même si Freddy lui déléguerait certainement les sortilèges les plus ennuyeux, c'était une perspective plutôt réjouissante. Elle serra affectueusement Gus contre elle, se leva, et fit une dernière révérence un peu gauche à Mr Fountain en pressant le petit corps poilu contre sa poitrine.

— Veuillez m'excuser, Monsieur, dit-elle poliment. Il faut que j'aille nourrir le chat.

Composition et mise en page

N°édition : L.01EJEN000373.N001
Dépôt légal : mai 2011

Ce livre est donné par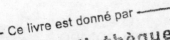

 **Bibliothèques
Sans Frontières**
Libraries Without Borders

CET OUVRAGE
A ÉTÉ ACHEVÉ D'IMPRIMER
SUR CAMERON
PAR L'IMPRIMERIE NIIAG
À BERGAME (ITALIE)
EN AVRIL 2011